REVISE FOR *FRENCH GCSE*

Reading and Writing

Michael Buckby

Heinemann Educational Publishers,
Halley Court,
Jordan Hill,
Oxford OX2 8EJ

A division of Reed Educational & Professional Publishing Limited

OXFORD FLORENCE PRAGUE MADRID ATHENS MELBOURNE
AUCKLAND KUALA LUMPUR SINGAPORE TOKYO IBADAN NAIROBI
KAMPALA JOHANNESBURG GABORONE PORTSMOUTH NH (USA)
CHICAGO MEXICO CITY SAO PAOLO

First published 1997

00 99 98 97

10 9 8 7 6 5 4 3 2 1

A catalogue record is available for this book from the British Library on request.

ISBN 0 435 33275 9

Produced by Ken Vail Graphic Design, Cambridge

Illustrations by Graham Cameron Illustration (Tony O'Donnell)

Cover illustration by Vikki Liogier

Printed and bound in Edinburgh by Scotprint Ltd

Acknowledgements

The author would like to thank the editor Sue Chapple for her excellent work on this book.

The author and publishers would like to thank the following for permission to reproduce copyright material:

Language Teaching Centre at the University of York; **London Examinations, a division of Edexcel Foundation; Midland Examining Group (MEG); Northern Examinations and Assessment Board (NEAB); Southern Examinations Group (SEG), Associated Examining Board; Welsh Joint Education Committee (WJEC).**

And also **Atlantic Tobbogan** p. 50 (brochure) , **Cuisine Actuelle** p. 11 (contents page), **Le Figaro** p. 35 (weather map and text), **France Télécom**, p. 37 (advertisement), **Greta** p.57 (poster), **Guide Michelin** p.51 (extract from Guide Vert Michelin Provence Côte d'Azur), **OK Podium** p. 47 (shortened article), **Printemps** p.53 (extract from brochure), **Semaine des Spectacles Provence Côte d'Azur** p.36 (extract from brochure), **SNCF** p. 55 (letter).

Laetitia Hubert's photograph p. 46 was provided by Allsport

Contents

If you are entered for Foundation Tier (aiming at Grades C to G) you need to work only on Parts 1 and 2 of this book, for reading and writing. If you are entered for Higher Tier (aiming at Grades A* to C) you need to work on Parts 2 and 3 only, for reading and writing.

By working on the two appropriate sections you will cover each Area of Experience at least once.

Introduction

Revise for French GCSE Reading and Writing will show you how to get the best possible marks in the reading and writing papers of your GCSE exam. By working through this book you will encounter all the different question types used by the GCSE examination boards and you will work on questions from all the different Areas of Experience, so you will be fully prepared. Each question is accompanied by helpful advice on what examiners are looking for and useful tips on exam technique. For the writing questions model answers are given.

There is an introduction for the reading section of this book (page 6) and for the writing section (page 65). You should read the tips here before you start working on the questions.

Both the reading and writing sections are divided into three parts:

Part 1 Questions at Foundation level (Grades E, F and G)
Part 2 Questions at Foundation/Higher level (Grades C and D)
Part 3 Questions at Higher level (Grades A*, A and B)

If you are entered for Foundation Tier (aiming at Grades C to G) you need to work on Parts 1 and 2 only, for reading and writing. If you are entered for Higher Tier (aiming at Grades A* to C) you need to work on Parts 2 and 3 only, for reading and writing.

In each Part the questions are presented by Area of Experience. By working on the two appropriate sections you will cover each Area of Experience at least once.

The symbol shows the recommended amount of time you should spend on the question.

Preparing for your GCSE

One very useful way to prepare for your GCSE exam is to find out exactly what you need to know, understand and do. To do this, get hold of a syllabus and sample exam papers from the Exam Board (see addresses below) whose exam you are taking.

Write a letter like this to the Secretary of your Board.

```
Dear Madam/Sir,

Could you please send me a copy of your
French GCSE syllabus (Long/Short* course) and
a sample paper. Thank you in advance.

Yours faithfully,
```

* Ask for the Long or Short course, whichever you are entered for.

Below are the addresses of all the GCSE Boards. With their permission, this book shows how to answer typical questions set by the Boards in their reading and writing tests.

London Examinations,
Edexcel Foundation,
Stewart House,
32 Russell Square,
London WC1B 5DN

Midland Examination Group
(MEG),
Syndicate Buildings,
1 Hills Road,
Cambridge CB1 2EU

Northern Examinations and
Assessment Board (NEAB),
31–33 Springfield Avenue,
Harrogate,
North Yorkshire HG1 2HW

Southern Examinations
Group (SEG),
Publications Dept.,
Stag Hill House,
Guildford,
Surrey GU2 5XJ

Welsh Joint Education
Committee (WJEC),
245 Western Avenue,
Cardiff CG5 2YX

Northern Ireland Schools
Examinations Council (NISEC),
29 Clarendon Road,
Belfast BT1 3BG

How to prepare for your reading exam

This book will show you how to get the best possible grade in your GCSE exam. As you work through it, you will learn how to answer all the sorts of questions put by the Exam Boards. You will also find out what the examiners are looking for and how to score top marks.

You will find the answers to the reading questions on pages 120–122. Look at these after you have answered the questions to find out how to score full marks.

- The first thing to learn is exactly what you need to be able to do in your reading test to earn a Grade C. This is what you have to show the examiners you can do:
  - **Identify and extract details and points of view** from printed and hand-written texts, drawn from a variety of topics and which include past, present and future events. You can use a bilingual dictionary to understand unfamiliar language.
- And this is what you have to do in addition to earn a Grade A in reading:
  - **Understand gist and identify main points and details** in a variety of types of authentic texts.
  - **Recognise points of view, attitudes and emotions and draw conclusions.**

Try to keep these in mind as you work on this book and as you read other things in French at school and at home. Practise reading as much as you can.

Now you can learn how to go about convincing the examiners who mark your exam that you can do what they want you to do.

1. The first thing you should always do is to read the instructions for each question very carefully. Make absolutely sure that you know what to do. There is often an example to show you what to do, so use the example. If necessary, use a dictionary to check that you do understand the instructions for each question. Better still, learn the language of the instructions before the exam: this book will help you with this. You then won't waste precious time in the exam.
2. To score top marks with most reading questions, you can follow four easy steps to success:
   a) Make sure that you understand the instructions and know what to do.

b) Read the questions and make sure that you understand them. Use a dictionary if you need to.

c) Look in the text for the answer to Number 1 and write your answer.

d) Repeat this for all the other questions.

Note that you **don't** start off by reading the text. You don't usually need to read or understand the whole text to score full marks and, if you do read it, you will waste a lot of time and probably not finish the exam. This would cost you marks.

3 To have the best chance of doing very well, you need to answer all the questions. If you use the dictionary a lot, you won't have time to answer all the questions. This book will show you how to use the dictionary as little as possible. As you work through the book, try to learn the key words which are tested in exams, so that you will need the dictionary less.

4 Timing is a very important part of exam success. There is a target time with every question in this book: a timer in the margin shows in minutes how quickly you should aim to complete the task in your exam. At first, you may find it hard to meet the target, but, as you work through the book, try to increase your speed and to meet the target time.

If you come across a question which you find difficult in the exam, **don't** spend a lot of time on it. It is better to leave it, to pencil a cross next to it on the exam paper so that you can find it again quickly, and to come back to it when you have answered other questions which you find easier.

5 Start your preparations for the exam in good time. If you can, start a year before you take your exams. Then do a little and often. Two half hours a week would be an excellent way to prepare for success. You can work your way through the three books* in this series in that time. This will teach you the language and the exam techniques you need to achieve the best possible grade.

Good luck with your preparation and your exams!

* *Revise for French GCSE, Reading and Writing*
Revise for French GCSE, Listening and Speaking
GCSE French Vocabulary

Reading: Part 1

In Part 1, you can learn how to do most of what you need to earn a Grade C:

- **Identify and extract details from texts** (printed and hand-written).
- **Use a bilingual dictionary** when you need to.

A Everyday activities

1 School

- Here is the pattern to follow to ensure success.
  1. Read the instructions very carefully and make sure that you know what to do.
  2. Read the letter and find the information you need to answer the question.
  3. Write each part of the timetable, in French. All the words you need are in the letter: just try to copy them correctly.
- Note that there are seven marks for this question: that is one mark for each word you write. Try to score all seven marks.

A Lisez la lettre.

Mardi, mon premier cours, à 8H 30, c'est français. À 9H 30 j'ai une heure d'anglais. À 10H 30 il y a sciences et à 11H 30 j'ai une heure de maths.

L'après-midi à 2H j'ai encore une heure de maths, et à 3H j'ai deux heures de dessin – ma matière préférée.

B Complétez **en français** l'emploi du temps pour mardi.

	LUNDI	MARDI
8H30	MATHS.	Français
9H30	FRANÇAIS	Anglais
10H30	ANGLAIS	Science
11H30	HISTOIRE – GÉO	Maths
	DÉJEUNER	
2H00	SCIENCES	Maths
3H00	EPS	dessin
4H00	EPS	dessin

[7 marks]

2 Home life

- The best way to approach questions like this is:
  - Read and understand the instructions.
  - Read and understand Number 1, then find the answer for it in the text.
  - Work on the other questions in the same way.
- You don't need to understand every word in the text, so don't waste time trying to do this. Try instead to find the key words which convey the information you need.
- A useful point to know is that the questions are usually in the same order as the information in the text, so the answer to Number 1 probably comes before the answer to Number 2 in the text.
- You should not need to look up the following:
  - ***gare RER:*** you know that it is a sort of station, and that is enough to enable you to answer the question.
  - ***à proximité de:*** this is very similar to its English equivalent 'proximity'. You can often find the English equivalent of French words ending in *-é* by changing the *-é* to '-y' (e.g. *beauté, université, liberté, armée*).

Vous travaillez dans une agence immobilière en France. Quel appartement pour quelle famille? Écrivez la lettre qui convient.

1 Monsieur et Madame LeLan cherchent un appartement moderne et tranquille. Ils n'ont pas de voiture et vont au travail par les transports publics. Ils voudraient habiter près d'un centre commercial pour cette raison.

2 Monsieur et Madame Borie cherchent un appartement pas trop cher avec 2 chambres. Ils préfèrent le centre-ville et ils adorent tous les deux le bricolage.

3 Monsieur et Madame Bernard cherchent un appartement de trois chambres dans un coin tranquille. Ils ont besoin d'un garage. Ils aiment faire de la natation.

APPARTEMENTS À VENDRE DANS LA RÉGION DE CHATOU

A Centre-ville, trois chambres, avec jardin privatif et garage au sous-sol. Terrasse ensoleillée (exposition sud). **504 000F**

B Près de la gare RER, au centre-ville, face à la poste. Entièrement rénové, avec cuisine américaine équipée. 2 chambres. À proximité des magasins et du marché. Au calme. **390 000F**

C À deux kilomètres du centre-ville près du jardin public. 2 chambres et salle de bains avec baignoire. Double vitrage. Parking privé. **380 000F**

D Au centre-ville dans un vieux bâtiment. Deux chambres. Vaste salon. Très calme. (Besoin de décoration et de rénovation). **190 000F**

E Dans une résidence de standing. 3 chambres, piscine privée, jardin et garage. Vue sur le jardin public. Cuisine équipée. **510 000F**

[3 marks]

Adapted from SEG material

3 Media

- Once you have understood the instructions and know what to do, look carefully at the five questions. Start with Number 1 and find the answer in the text. Then repeat this with the other questions.
- You don't need to read the text very carefully each time – you can skim over it looking for some key words. So, for Number 1, you are looking for some examples of *poisson*. For Number 2, you need to find examples of *desserts*, and so on.
- You should not need to look up a word like *Normandie*. Many French words which end in *-ie* are the same as English words which end in '-y' (e.g. *Italie* = Italy; *industrie* = industry).

Regardez ce sommaire d'un magazine. Notez la page des articles dans la liste.

Cuisine Actuelle

Sommaire de juillet

Articles	*Page*
Vins du mois Les rosés	**12**
Courrier des lecteurs	**14**
Balade Gourmande Une visite en Normandie	**16**
Quoi de neuf? Des renseignements pratiques	**19**
Des Salades Originales	**23–25**
Recette d'un Chef Monique Chassang parle avec Dominique Toulousy	**29**
Le marché du mois Les sardines, la lotte, les harengs	**33**
Cuisine d'ailleurs Les USA	**35–38**
Menu express Soupe de pêches, fromage frais aux fruits, crème anglaise, tarte aux abricots	**42–45**
Echos gourmands Les nouveaux produits	**50**

1 un article sur le poisson 33
2 un article sur les desserts 42-45
3 des lettres 14
4 un article sur une région de la France 16
5 une interview ~~50~~ 29.

[5 marks]

4 Food

- You have to say where you can buy the food you need. For example, you buy *sardines* (1) at the counter with the sign *poissons* (B). So, for that, you write 1 – B.
- Be careful: there are **two** more counters to choose, for two foods, and there are four signs. You will choose only two signs.

Vous invitez des copains à manger chez vous. Voici le menu:

Vous allez au supermarché. Regardez les photos.

1 Vous achetez les sardines où?

2 Vous achetez le steak où?

3 Vous achetez la salade où?

Ecrivez A, B, C ou D, par exemple: 1 – B.

A, C

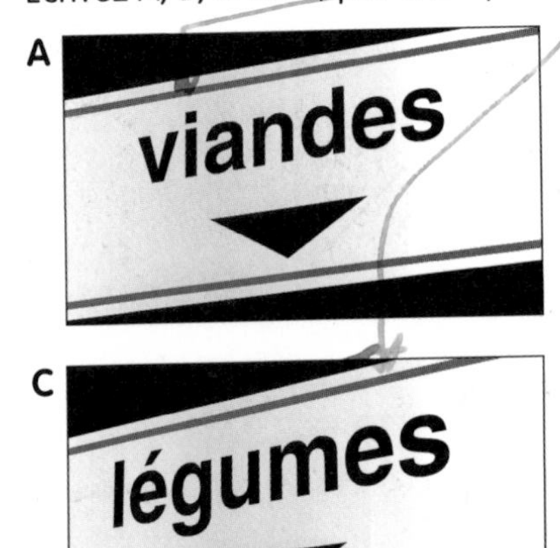

B, D

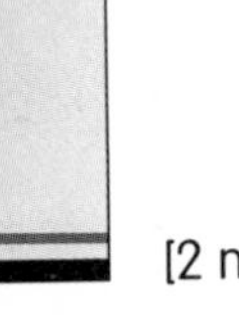

[2 marks]

B Personal and social life

5 Self, family and friends

Make sure that you know what to do, using the example to help you. Then start from the cartoon strip: look at each question put by the interviewer and find the best answer in the list. For example, the only possible answer for 1 (*Nom?*) is C (*Dupont*).

Voici une bande dessinée. Un monsieur a une entrevue pour un emploi. Lisez les questions et marquez la lettre qui correspond à chaque réponse.

Exemple: 1 – C

A Français, anglais, histoire, sciences

B Masculin

C Dupont

D 55 ans

E 15 rue du Port

F Intelligent, motivé, organisé

G Employé de banque pendant 26 ans

H Foot, natation, lecture

[7 marks]

Adapted from SEG material

6 Free time, holidays and special occasions

- Begin by writing the answers which you can do without using a dictionary. You may be able to do them all. Only use a dictionary if there are any words left which you can't link to one of the pictures.
- If you need to look up *équitation* or *natation*, make sure you learn them. These words are often tested in the exam.

Pour chaque sport, écrivez le numéro de la bonne image.

Exemple: A – 8

❊ les sports

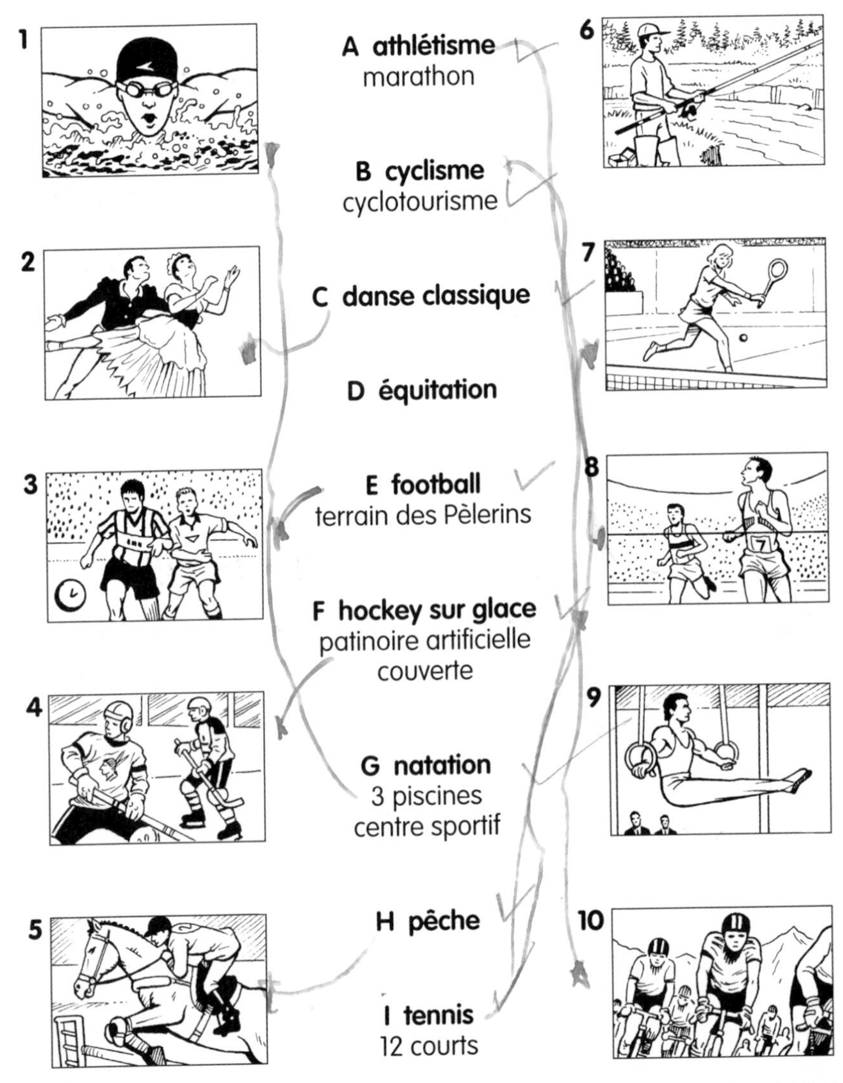

[8 marks]

7 Arranging a meeting or activity

- You must choose and write only one letter: if you write more, you will score no mark. If you aren't sure about the answer, you need only look up **one word** in the message. You should be able to do this in the target time.
- If you don't yet know the word *la gare*, now is the time to learn it. This is a word which is often tested in the exam.

Anne is staying in France and gets a message from a French friend who wants to meet her:

Je vais t'attendre à la gare à 15h. 

Where must Anne meet her friend?

A

B

C

D

[1 mark]

8 Leisure and entertainment

- Don't start off by reading the letter, as it will take too much time. Instead, follow this pattern:
  - Read the instructions and make sure that you know what to do. Use the example to help you.
  - Read Number 1 and look for the answers in the letter. Write your answers. Then work on Numbers 2 and 3 in the same way. Remember that the information in the text usually comes in the same order as the questions.

Vous recevez une lettre de votre correspondante française.

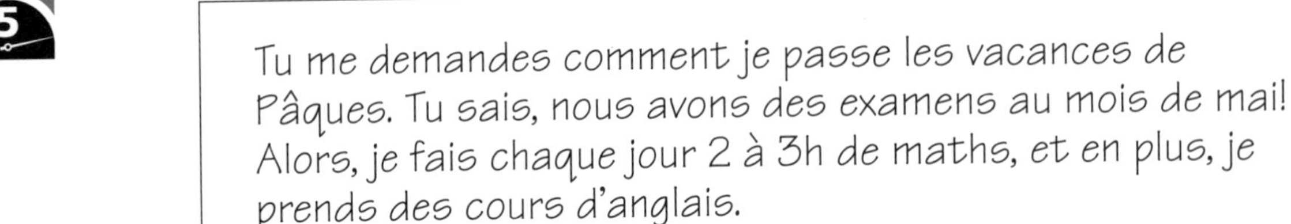

Tu me demandes comment je passe les vacances de Pâques. Tu sais, nous avons des examens au mois de mai! Alors, je fais chaque jour 2 à 3h de maths, et en plus, je prends des cours d'anglais.

Pour l'histoire, pas de révisions: l'examen était avant les vacances.

L'après-midi, je fais du sport: une heure de tennis, puis du vélo avec mon frère Marc. Il est passionné d'équitation et il pense que je devrais essayer. Mais moi, j'ai trop peur des chevaux.

Le soir, je travaille comme serveuse dans un restaurant, trois fois par semaine. Si je ne travaille pas, j'adore aller au cinéma avec des amis. Je déteste les discothèques. Il y a trop de monde et trop de bruit! J'aimerais aller au théâtre parfois, mais je n'y vais jamais: c'est trop cher!

Ecris-moi vite.

Amitiés

Juliette

Répondez aux questions en écrivant **oui** ou **non pour chaque image**.

Regardez l'exemple.

Exemple:

Juliette parle de quelles vacances?

A **B** **C**

Vous écrivez: A – Non, B – Oui, C – Non.

1 Juliette révise quelles matières?

A **B** **C**

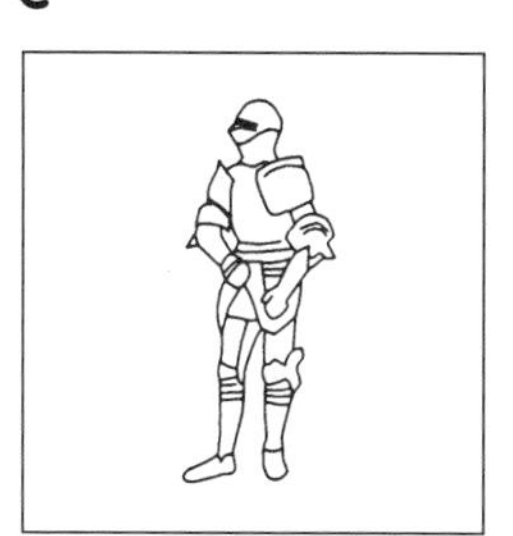

2 Juliette pratique quels sports?

A **B** **C**

3 Que fait Juliette le soir?

A **B** **C**

[9 marks]

C The world around us

9 Finding the way

- Use the example to be sure that you understand the instructions and know what you have to do.
- For each question, you must write only **one letter**. If you aren't sure which one to write, look up in a dictionary the one which you think is probably correct. This is much quicker than looking up all the words.

Example: Your friend wants to post a parcel.
Which sign should she follow? Choose one letter.

A **PISCINE**

B **STADE**

C **LA POSTE**

D **MAIRIE**

The answer is C.

You are in France with a friend Anne who does not understand French.

Answer each question by choosing one letter only.

1 You want to catch a coach. Which sign should you follow?

2 Anne wants information about the town.
Which sign should she follow?

A **Syndicat d'initiative**

B **Musée**

C **Vieille ville et Remparts**

D **Piscine**

[2 marks]

Adapted from MEG material

10 Shopping

- An easy mark to be earned here!
- The question is in French, so you must answer it in French. You've got time, if you need to, to look up in a dictionary the word you have to write.
- Remember, it is not essential to spell your answer correctly in the exam. As long as the examiner can understand what you write, you will score the mark.

Regardez la photo.

Qu'est-ce que vous pouvez acheter ici? de la viande [1 mark]

11 Shopping

- The question is in French, so your answer must also be written in French.
- There is only one mark, so write only one piece of information, keeping it as short and simple as you can.
- If you aren't absolutely sure what the word *gratuit* means, look it up. Then learn it: this word is often tested in exams.

Regardez la photo.

Un tee-shirt coûte 59 francs.
Deux tee-shirts, ça fait combien? [1 mark]

590 francs

12 Public services

- If you need to use a dictionary to do this question, look up as few words as you can. For example, if you don't understand *la poste*, look it up. Then look up the words of things to buy and stop as soon as you find something you can buy at *la poste*. There is only one mark for this, so only one correct piece of information is needed.

Regardez la photo.

Ici on peut acheter ... Choisissez la bonne case.

... des timbres A

... des bonbons B

... des cartes postales C

... des frites D

[1 mark]

13 Getting around

- You must understand the word *gratuit* to answer this question. If you don't, look it up in a dictionary and then learn it: *gratuit* is a word which is often tested in exams.

- When you know what *gratuit* means, read the four possible answers carefully and choose **only one**. If you choose more than one, you will score no marks.

Vous êtes en France. Regardez la photo.
"Gratuit", cela veut dire quoi? Choisissez la bonne case.

Il faut payer pour entrer au parking. 

Le parking est interdit aux voitures. 

On ne paie pas. 

Le parking est fermé. 

[1 mark]

14 Getting around

With a multiple-choice question like this, it is essential to understand the sign. If you can't, look it up in a dictionary. Then write the letter of the **one symbol** which corresponds to the sign.

Vous prenez le bateau pour aller en France. Regardez la photo.

SALON NON FUMEURS

Quel symbole correspond? Choisissez la bonne case.

[1 mark]

D The world of work

15 Careers and employment

- Follow the usual pattern for success (see page 7).
- Answer as many of the questions as you can without using a dictionary. If there are any left, use a dictionary to find out what the jobs mean. You should then find it easy to match each job with one of the sentences.
- Don't get confused if you find more than one possible answer: just choose one which you think is correct.
- You shouldn't need to look up the following words, even if you have never seen them before:
  - ***agriculteur:*** it's obvious that this is someone who works in agriculture, or on a farm.
  - ***mécanicien:*** this is very similar to the English word 'mechanic'.

6

Écrivez le numéro du travail qui va avec chaque phrase.

Attention! Utilisez les numéros une fois seulement.

La Liste:

1 Agent de Police
2 Agriculteur
3 Chauffeur de Taxi
4 Comptable
5 Employée de Banque
6 Infirmier/ère
7 Mécanicien/ne
8 Professeur
9 Secrétaire
10 Vendeur/se

Exemple: A – 8

A Je voudrais travailler avec les jeunes.
B J'aimerais surtout un travail en plein air.
C J'aime bien les maths et les chiffres.
D J'aimerais utiliser mes mains dans mon travail.
E Moi, je voudrais surtout aider les gens.
F J'aimerais travailler dans un grand magasin.
G Je voudrais voyager beaucoup pour mon travail.
H Pour moi, un travail de bureau serait bien.

[7 marks]

16 Advertising and publicity

- Don't try to read all the advertisement: you don't need most of the information in it and, for three marks, you can't afford much time.

- Read Number 1 and understand it. Then seek out the information – that is, the price – in the advertisement. Repeat this for Numbers 2 and 3. Concentrate on the part of the advertisement which gives information about prices. You can ignore the rest.

Pour votre
Détente
et vos
Promenades

LES CYCLES DE LA PLAGE

FACE AU POSTE DE SECOURS ET DES CABINES TÉLÉPHONIQUES

LOCATION
Tous CYCLES - VELOS - VTT etc...
à l'heure / à la 1/2 journée / à la journée

R.C. (en cours)

TARIF

	Heure	1/2 Journée	Journée
VÉLO	20	50	80
VTT	25	60	90
ENFANT	10		
TRICYCLE	40		

C'est quel prix pour chaque personne? Écrivez le prix.

1 Votre petit frère (9 ans) veut louer un vélo pour une heure.

2 Votre ami (25 ans) veut louer un vélo tout terrain pour 3 heures entre 9 heures et midi.

3 Vous voulez louer un vélo de 9 heures jusqu'à 5 heures.

[3 marks]

Adapted from SEG material

17 Communication

◆ Use the techniques which you have now learnt to tackle this question. Remember to concentrate on the questions and to scan the text to find each answer.

Quel numéro faut-il composer? Écrivez le numéro.

Exemple: 1 – Le 16

Quelques numéros utiles

Services de la Carte France Télécom (voir pages 56 et 98)

Annuaire électronique	11
Renseignements	12
Dérangements	13
Agence Commerciale France Télécom	14
SAMU	15
Interurbain	16
Police	17
Pompiers	18
Communications par opérateur, dérangements internationaux	00.33 + indicatif du pays*
Renseignements Internationaux	00.33.12 + indicatif du pays*

1 Je veux appeler Marseille de Paris.

2 Le téléphone ne marche pas.

3 Une voiture a pris feu.

4 Je veux chercher un numéro sur Minitel.

5 Je voudrais savoir un numéro en Angleterre.

6 Je voudrais savoir un détail.

7 On a volé ma valise.

[6 marks]

E The **international** **world**

18 Tourism

- Start by reading the questions. Make sure that you understand them. Only then should you read the letter to find the answers.
- In Part A, you have to write, for each sentence, if it is *Vrai* (true), *Faux* (false) or *On ne sait pas* (you can't tell). You write *On ne sait pas* if there is nothing in the letter to tell if the sentence is *Vrai* or *Faux*. Don't spend too long looking: if you can't find in the letter something which shows that a sentence is *Vrai* or *Faux*, write *On ne sait pas*.
- In Part B, you have to find in the letter, and write, words which mean the same as those in the question. For example, *l'année dernière* (in the letter) means the same as *l'année précédente* (in the question).
- Note that there are nine marks for this question, so be careful to score as many as you can.

5

Regardez la lettre de Yann.

A Pour chaque phrase, écrivez:
Vrai, Faux ou **On ne sait pas.**

i) Yann aime voyager. Faux
ii) Yann n'a jamais visité l'Espagne. Vrai
iii) Le frère de Yann a douze ans. On ne sait pas
iv) Pendant les vacances, Yann aime nager. Faux
v) En ce moment, Yann est en vacances. Vrai

B Sur la lettre de Yann, trouvez l'équivalent.

Exemple: L'année précédente = l'année dernière

i) quinze jours = 15
ii) mon père et ma mère = mother & father
iii) le collège = School
iv) j'irai =

[9 marks]

Cher Oliver

Je suis en vacances dans deux semaines. Quand seras-tu en vacances? Bientôt, j'espère. L'année dernière je suis allé en Espagne quinze jours avec mes parents – nous y sommes allés en voiture. Cette année je serai en vacances deux mois et je vais aller en Italie avec l'école et mon frère – qu'est ce que tu aimes faire pendant tes vacances? Moi, j'aime bien aller me baigner.

A bientôt

Yann

19 Accommodation

- Begin by reading the questions and not by reading the text.
- Each answer requires one piece of information. Keep your answers short and simple. As is usually the case, the information you need to answer the questions is in the same order in the text as the questions. So, when you have answered Number 1, you don't need to waste time re-reading the first part of the text.

Lisez bien les notes, puis répondez aux questions **en français.**

HÔTEL CONTINENTAL, DEAUVILLE

Situation: L'hôtel se trouve à cinq cents mètres du centre-ville et à cent mètres seulement de la plage.

Dates d'ouverture: L'hôtel est ouvert entre février et décembre.

Chambres: Il y a 48 chambres, toutes avec douche, dont 38 sont des chambres à deux personnes et les autres sont à une personne seulement.

Repas: On sert le petit déjeuner seulement à hôtel. On recommande aux clients de prendre le déjeuner et le dîner au restaurant "Chez Pierre" en face de l'hôtel.

Installation: Télévision et téléphone dans toutes les chambres; piscine privée; ascenseur; parking réservé à la clientèle.

Prix: En haute saison (juin, juillet et août), de 300 à 400 francs par chambre.

Aux autres mois, de 250 à 350 francs par chambre.

Répondez **en français**.

1 Pendant quel mois l'hôtel est-il fermé? janvier [1]

2 Il y a combien de chambres à une personne seulement à l'hôtel? 10 [1]

3 Quel repas est-ce qu'on peut prendre à l'hôtel? le petit déjeuner [1]

4 Qu'est-ce qu'il y a pour les personnes sportives à l'hôtel? piscine [1]

5 Au mois de mars, quel est le prix maximum d'une chambre? [1]

350 -

[5 marks]

Adapted from MEG material

Reading: Part 2

In Part 2, you can learn how to do everything you need to earn a Grade C:

- **Identify and extract details and points of view from texts** (printed and hand-written).
- **Use a bilingual dictionary** to understand unfamiliar language, when you need to.

A Everyday activities

1 Media

- Don't waste time by reading all the text first. Read each question, then find and write the answer before going on to the next one.
- Although the questions here are in English, you should write the answers in French.
- You don't need to understand every word in the text. Just look out for key words. For example, in Number 1 you only need to find the name of one historical person, *Napoléon*.

10.00	**Actualités**
10.30	**Antiope**
12.00	**Météo**
12.05	**Marianne,** *une étoile pour Napoléon.* Feuilleton en soixante épisodes Huitième épisode
12.35	**Platine 45.** Les groupes d'aujourd'hui: Status Quo, Take That et Gorgis Zygotic Mynci
13.30	**Terre des bêtes.** Les chiens les plus beaux
14.00	**Santé:** le stress parmi les professeurs
14.30	**C'est la vie.** Architecture – l'habitat répond-il aux besoins?
15.30	**Journal**
16.00	**"En attendant Godot"** – la pièce de Samuel Beckett

Read the TV schedule and answer the questions.

Example: I like watching programmes about historical people.
Name the programme I should watch. Marianne

1. I want to know the weather forecast for tomorrow. Name the programme I should watch. Météo [1]
2. I like animals. Name the programme I should watch. tere de [1] bêtes
3. I want to watch the news. Name the programme I should watch
   a in the morning météo **b** in the afternoon. Journal [2]
4. I like pop groups. Name the programme I should watch. platine 45 [1]
5. I'm interested in health issues. Name the programme I should watch. [1] santé

[6 marks]

2 Health and fitness

- For each place listed, you need to say if smoking is allowed (*oui*), not allowed (*non*) or possibly allowed (*peut-être*). Be careful: the text tells you where smoking is *interdit*.
- As is usual in exams, the information in the text is in the same order as the questions.
- When you look at the text for the answers, you will need to find words which mean the same thing as the places in the questions. It is quicker to do this without a dictionary. Practise doing this now: say which of these places includes *une école primaire*:

  a) *lieux fréquentés par des élèves dans les écoles*

  b) *les universités*

  c) *une zone*

  d) *centres culturels.*

  Réponse: a)

Lisez, puis répondez aux questions.

Est-ce qu'il est permis de fumer des cigarettes dans les endroits suivants? Écrivez **oui**, **non** ou **peut-être**.

1 dans une école primaire

2 dans une université

3 dans un club de jeunes

4 dans un hôpital

5 dans une charcuterie

6 dans un autobus

7 en montant jusqu'au sommet de la Tour Eiffel

8 dans un taxi

[8 marks]

Il est ainsi interdit de fumer:

- dans tous les lieux fréquentés par des élèves dans les écoles. Dans les universités, une zone doit être désignée pour les fumeurs;
- dans les lieux destinés à accueillir les jeunes de moins de 16 ans (centres de vacances, centres culturels etc …);
- dans les locaux d'accueil, de soins et les chambres des établissements de soins ou d'hospitalisation (publics et privés);
- dans les magasins d'alimentation (par exemple les boulangeries);
- à l'intérieur des véhicules de transport collectif, sauf dans les trains où l'on trouve des compartiments pour les fumeurs;
- dans tous les ascenseurs, funiculaires et téléphériques.

Enfin, notons que les chauffeurs de taxi n'ont pas le droit d'interdire à leurs clients de fumer pendant le trajet …

Adapted from SEG material

B Personal and social life

3 Self, family and friends

- You have to say which word from those in the box goes into each gap in the summary of the letter, e.g. A – 3.
- As usual, you can save time by starting from the questions. Look at the summary, then at the letter, and find the word which fills each gap.
- This sort of test depends on using different words which mean the same thing. If you are in any doubt, check the key words (e.g. *châtain*) in a dictionary.

Tu lis cette lettre dans un magazine.

Le courrier des lecteurs

CHÈRE MIREILLE

Je m'appelle Corinne et je recherche un garçon que j'ai rencontré dans le train à destination de Paris, le 28 août dernier. Il est châtain, il a les yeux marron clair. Il mesure 1m70 environ. Il était vêtu d'un pantalon vert et d'une chemise blanche. Nous avons discuté un peu, mais je ne sais pas son nom. Si quelqu'un le connaît, montrez-lui mon message s'il vous plaît, et dites-lui de m'appeler au (16.1) 325.28.16. Merci à tous.

Pour donner le sens de la lettre, dis quel mot va dans chaque blanc. Choisis parmi les mots dans la case.

1 s'appelle;	2 hiver;	3 été;	4 bruns;
5 blonds;	6 téléphone;	7 parlé;	8 écrit.

Corinne a rencontré ce garçon l' ....(A).......... dernier. Il a les cheveux ....(B).......... . Corinne a ....(C).......... un peu à ce garçon, mais elle ne sait pas comment il ....(D).......... .
Elle veut que le garçon lui ....(E).......... .

[5 marks]

4 Personal relationships and social activities

- Start, as usual, with the questions. These will tell you the key words you need to find in the text to discover the answer. For example, with Number 1, *un garçon de 17 ans:* don't waste time reading the whole text in detail, just skim over it to find *17 ans* and you have your answer. Check to be sure that you really have the correct answer and then write the name.
- You shouldn't need to waste time looking up in a dictionary words like *enthousiasme:* it is very similar to its English equivalent 'enthusiasm'. Other similar words in this text include: *problème, téléphone, promis, abandonner, timide, parents, discussions.*

Lisez cette page d'un magazine, et répondez aux questions suivantes.

LE COURRIER DU CŒUR

A Lors d'une boum j'ai rencontré X, 15 ans, qui m'a paru très sympa. Je lui ai demandé s'il voulait sortir avec moi et il a dit oui. Mon problème: il ne me téléphone jamais pour savoir ce que je veux faire. C'est toujours moi qui l'appelle. Hier je lui ai téléphoné pour avoir de ses nouvelles et il m'a promis de m'appeler plus tard. J'attends toujours son coup de fil … J'aime bien X, mais devant son peu d'enthousiasme je me demande si je ne ferais pas mieux de l'abandonner. Qu'en pensez-vous?
Sabrina, 14 ans, Marseille

B J'ai dix-sept ans et je ne suis jamais sortie avec un garçon. Il y a très peu de jeunes dans le quartier où j'habite et je les trouve trop gamins. Je préfère ceux de mon centre d'équitation et en particulier M qui a dix-neuf ans. Mais quand il cherche à me parler, je deviens trop timide et je fuis. Qu'est-ce que je dois faire? Répondez-moi vite.
Ghislaine, Grenoble

C Je sors avec E, 17 ans, depuis quatre mois. Mon problème – mes parents. Ils détestent E, surtout ma mère. Nos discussions finissent toujours en larmes. Je sais que je retrouverais de la tranquillité si je cessais de sortir avec E mais il n'en est pas question. Je l'aime trop. Dites-moi ce que je dois faire. Merci. PS: J'ai quinze ans.
Chantal, Toulouse

Trouvez une fille qui ...
(Répondez Sabrina, Ghislaine ou Chantal.)

Exemple: 1 ... sort avec un garçon de 17 ans. Chantal

2 ... aime les chevaux. Ghislaine

3 ... n'aime pas les garçons qui habitent près de chez elle. Ghislaine

4 ... ne s'entend pas très bien avec ses parents. Chantal

5 ... sort avec un garçon qui ne semble pas très intéressé par elle.

6 ... a de la difficulté à parler avec un garçon à cause de sa timidité.

7 ... a 15 ans.

8 ... considère la possibilité de rompre avec son petit ami.

[7 marks]

Adapted from SEG material

5 Free time, holidays and special occasions

- There are eight questions and eight marks, so it's clear that there is one short and simple answer to each question: just one name. The example also makes it clear that you need only write the person's first name.
- Look at each question in turn and scan the text quickly to find the answer. The information in the text is not necessarily in the same order as the questions. You will do it faster if you can work out from the question the sort of word to look for in the text. For example, which of the words below should you look for to find out who *joue d'un instrument?*

  a) *musique* b) *danse* c) *football* d) *piano* (Réponse: d)

- Try this technique with some of the other questions. For example, what should you look for to find out who *parle trois langues?*

Voici des détails de jeunes qui cherchent un(e) correspondant(e).

●EDWIGE RAISSA MBOUSSA, 454, rue Fraceville, Ouenzé Brazzaville, Congo. J'ai 14 ans, et je souhaite correspondre avec des garçons et des filles de 15 ans.

●HASINA ANDRIATSIORY, CNAPS BP 209, Majunga 401, Madagascar. Je suis une fille de 13 ans. J'aime le sport, surtout la danse. Je souhaite correspondre avec des garçons et des filles du monde entier. Ma cousine, qui a 15 ans, cherche, elle aussi, des correspondants.

●PASCAL GLINEUR, av. Jean et Pierre-Carsoel 113, 1180 Bruxelles, Belgique. Je cherche des correspondants qui ont un ordinateur IBM compatible, pour échanger des programmes ou des jeux.

●BENEDETTA PALLAVICINI, via Mozart n°2, 96100 Mantova, Italia. J'ai 13 ans, j'aime le sport, la musique, écrire et voyager. Je souhaite correspondre en français, en italien ou en allemand.

●MYRIAM SAINZ ZORAYA. Central Iberduero Ventas de Yanci, 31790 Yanci Navarra, Espagne. J'ai 14 ans. Je cherche des garçons et filles parlant français ou espagnol. Écrivez-moi sur des cartes postales car je les collectionne.

●SYLVIA ANTOU, 376, route du Bois-de-Nèfles, 97490 Sainte-Clotilde, la Réunion, France. Je voudrais une correspondante canadienne de 10 à 12 ans.

●FLORENCE FOLMER, 6, rue des Tilleuls, L 2510 Luxembourg, Luxembourg. J'ai 12 ans, Je cherche des correspondants de mon âge, du monde entier, qui aiment la danse, les chats, les hamsters, les pays étrangers et le scoutisme. J'aimerais communiquer en allemand ou en français.

●EUDES-ARISTIDE MAHOUNGOU, élève au CEG de Madingou I, BP 75, Madingou, Congo. J'ai 14 ans. Mes passions sont la lecture, le dessin, la musique et le sport. Je désire correspondre avec une fille ou un garçon de 14 ou 15 ans.

●MAUD IVANOFF, 103, Shady Creek Court, Greer SC 29650, USA. J'ai 13 ans, je suis française et j'habite aux États-Unis. Je souhaite correspondre avec un garçon ou une fille habitant l'Allemagne, l'Amérique ou l'Afrique.

●MICHAELA-CHRISTINA PREDA, rue Odra de Aries 7, bloc 12, entrée A, et. 8, app. 34, sect. 6, Bucuresti, Romania. Je suis une fille de 14 ans. Ma passion est la musique, je joue du piano. J'aime aussi la peinture, la natation, le tennis et le football. Je désire correspondre en français ou en anglais.

Écrivez le nom de la personne qui:

Exemple: Aime les animaux *Florence*

1. Joue d'un instrument Benedetta
2. Ne veut pas recevoir de lettres
3. Veut correspondre avec quelqu'un de plus âgé
4. Parle trois langues
5. Veut écrire à une fille qui n'habite pas en France
6. N'habite pas dans son pays d'origine
7. Aime l'art et les livres
8. Aime l'informatique et les jeux électroniques

[8 marks]

6 Leisure and entertainment

- As always, begin by reading the instructions very carefully: make sure that you know what to do. The example should help.
- With reading tests like this, you next read the **questions**. Each question will direct you quickly to the part of the text where you will find the answer. So, read a question, find the answer and write it down. Then move on to the next question.
- Only use a dictionary if you need to check which word to write in the answer. You do not need to understand all the text, only the parts which contain each correct answer.

SPLENDIDE

«GERMINAL» de Claude Berri avec Renaud, Miou Miou et Gérard Depardieu. Adaptation du roman dans lequel Emile Zola faisait entendre le long cri du désespoir et de la révolte du monde de la mine.
Tous les jours: 14h 15, 20h 30; mercredi et dimanche: 14h 15, 17h 15, 20h 30.

«L'INCROYABLE VOYAGE» de Walt Disney.

«LES VISITEURS» de Jean-Marie Poiré avec Christian Clavier, Jean Réno, Valérie Lemercier. Un seigneur et son écuyer sont projetés de l'an 1122 à nos jours par une sorcière: leurs déboires avec le monde moderne ne sont pas tristes.
Tous les jours: 14h 15, 19h 45, 22h 15; dimanche: 14h 15, 16h 45, 20h 30.

REX

«CLIFFHANGER», film d'aventure de Renny Harlin avec Sylvester Stallone.

«LE FUGITIF» de Andrew Davis avec Harrison Ford, Sela Ward. Richard Kimble, célèbre chirurgien de Chicago, avait tout pour être heureux quand une nuit sa femme est brutalement assassinée. Accusé et condamné à mort, il s'échappe de justesse le jour de l'exécution. Il n'a qu'un but – retrouver et démasquer le meurtrier.
Horaires: vendredi: 19h 45, 22h 15; samedi, lundi: 14h 15, 19h 45; dimanche: 14h 15, 16h 45, 20h 30.

Lis le programme du cinéma (le SPLENDIDE et le REX).
Corrige les mots soulignés en utilisant les mots du texte.

Exemple:

"L'Incroyable Voyage" est un film de Steven Spielberg.
"L'Incroyable Voyage" est un film de ....Walt Disney.....

1 "Germinal" est une adaptation d'un poèm de Zola. [1]

2 Les événements du film "Germinal" ont lieu dans une usine. [1]

3 "Les Visiteurs" arrivent dans le monde du 21 ème siècle. [1]

4 "Cliffhanger" est un film d'amour. [1]

5 Dans le film "Le Fugitif" Richard Kimble est professeur. [1]

6 Dans le même film Richard Kimble est exécuté. [1]

[6 marks]

C The world around us

7 Getting around

- Very often, when reading, you can work out what words mean without looking them up in a dictionary. This saves time and allows you to answer more questions and so to score higher marks. For example, look at the first sign. You have to say when it is free to park and when you have to pay. Knowing this, what do you think *payant* means?

  Réponse: paying

- You can now work out what *gratuit* means. You know, from the sign, that it is not *payant.* And you know that it is what happens when you park *dimanche et jours fériés.*

- It is worth remembering that when a French word ends in *-ant,* its English equivalent usually ends in '-ing' (e.g. *payant, charmant, amusant*).

1 Il faut payer – oui ou non?

Pour chaque phrase, écrivez **oui** ou **non**.

Exemple: Le jour de Noël *non*

a Samedi, à 11 heures ~~non~~ oui

b Dimanche à 11 heures non

c Le 14 juillet, à 11 heures non

2 Qu'est-ce que cela veut dire?

Pour chaque phrase, écrivez **vrai** ou **faux**.

a Tu ne dois pas laisser ton vélo ici.

b Tu peux laisser ton vélo ici.

c Tu dois mettre ton vélo contre le mur.

PRIÈRE DE NE PAS DÉPOSER
DE BICYCLETTES
CONTRE CE MUR

[6 marks]

8 Home town, local environment and customs

- As usual, you don't need to understand every word to answer all the questions correctly. Just find the key words. So, in the example, Box A on the map is *Bretagne*: the forecast talks about *éclaircies* (bright intervals) and Sentence 8 refers to *éclaircies*. Link these together and you have the answer.
- If you need to check any words in the dictionary, don't waste time looking up words you don't need to look up. Concentrate on the key words (e.g. *couvert*, *orages*). The symbols with the forecast will help you to understand these words if you are in doubt.

Lisez cette météo et regardez la carte.

Écrivez le numéro de la phrase (ou des phrases) qui décrit le temps qu'on prévoit pour chaque case.

Exemple: A – 8

1 Il y aura du soleil cet après-midi.

2 Il y aura de la pluie vers midi.

3 Le ciel sera couvert toute la journée avec quelques éclaircies.

4 Il fera un temps variable ce soir.

5 Il y aura des orages cet après-midi.

6 Il y aura du brouillard ce matin.

7 Le vent sera faible cet après-midi.

8 Il y aura des éclaircies cet après-midi. [7 marks]

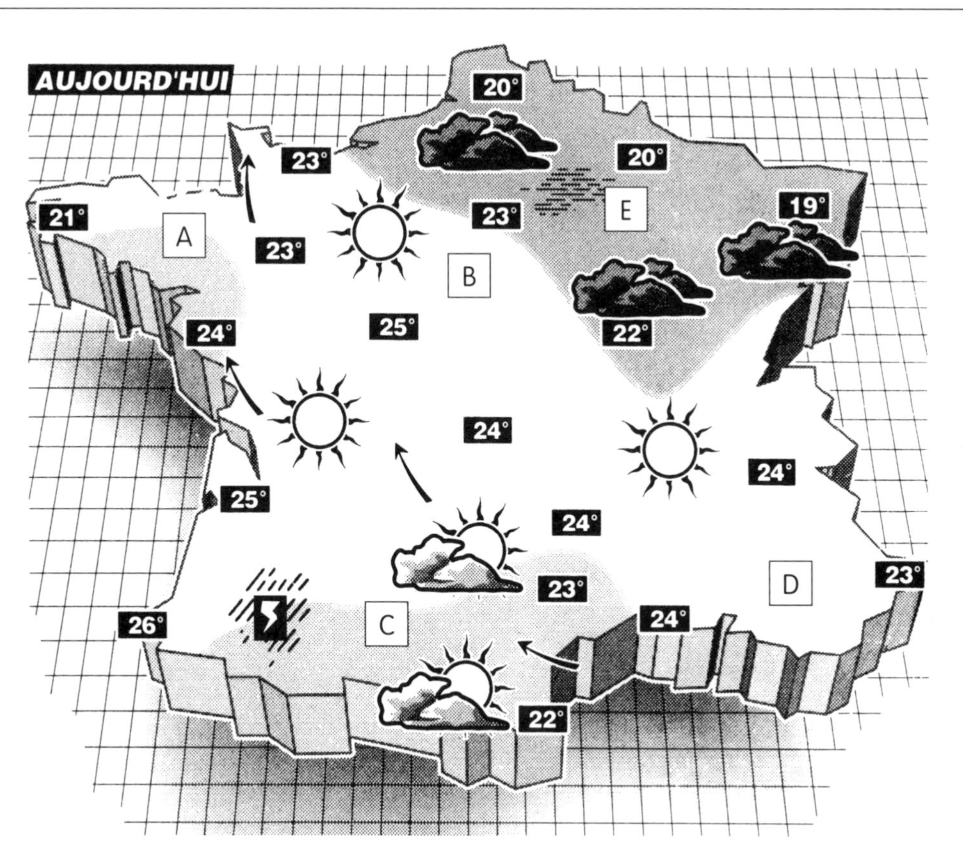

Région parisienne. – De nouveau, la matinée débutera par un temps brumeux, avec d'épais brouillards dans les vallées. Cependant, le ciel s'éclaircira au fil des heures, laissant le soleil briller généreusement l'après-midi. Le vent sera faible ou nul. Les températures resteront très douces, allant de 10° à 12° le matin, de 22° à 23° l'après-midi.

Ailleurs. – Il y aura de nombreux brouillards matinaux sur toute la moitié nord du pays.

Les régions situées entre la Seine et les frontières du Nord-Est risquent de conserver une grande partie de la journée un temps nuageux et des bancs de brouillard locaux, avec seules quelques éclaircies temporaires.

Sur la pointe de Bretagne, les nuages seront abondants le matin, puis des éclaircies se développeront cet après-midi.

Dans le Sud-Ouest, le ciel deviendra de plus en plus menaçant au fil des heures, averses et orages se déclencheront localement l'après-midi.

Ailleurs, les brumes matinales se dissiperont assez vite pour laisser la place à un ciel clair et un soleil radieux.

Les températures matinales iront de 10° à 16°. Cet après-midi, il fera 18° dans les vallées restant sous les brumes, et de 22° à 25° du nord au sud sous le soleil.

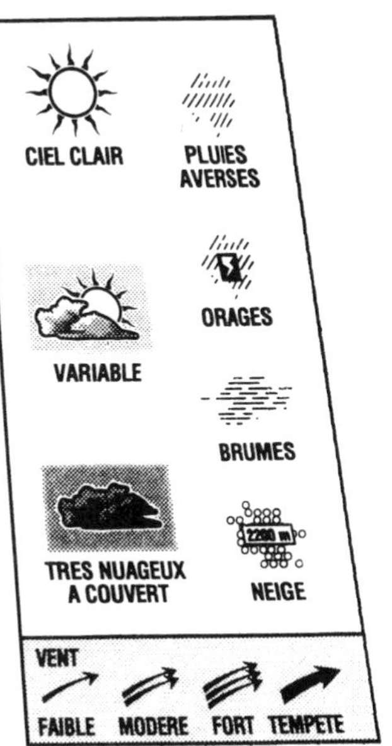

D The world of work

9 Advertising and publicity

Remember to take the time you need to read and understand the instructions. Start with the symbols and then skim the advertisement: look out for the key words to find a symbol to match each advert. You don't need to read or understand every word. For example, in Advert 1, the key words are *concert, jeunes chanteurs, Mozart*. These link it clearly to Picture D.

Vous êtes en vacances sur la Côte d'Azur au mois d'août. Vous lisez le guide des spectacles. Quelle annonce correspond à quelle image?

Exemple: 1 – D

1 CONCERT. Église. • Mer. 11 août à 21h. La **COMPAGNIE DES JEUNES CHANTEURS LYRIQUES:** Benoît BENICHOU, ténor, Florence SCHERB, mezzo-soprano, Stéphan BLANCO, ténor, présenteront un programme allant de l'époque baroque (Glück, Haendel) à l'Opéra (Mozart, Verdi, Saint-Saens), pour finir avec Bernstein. Accompagnement au piano par Margareta FLORIAN de l'Opéra de Bucarest. Loc. sur place 1 heure avant.

2 LE CHÂTEAU – 1, rue des Ponchettes. Dans la vieille ville. Ascenseur à gauche de l'escalier de 300 marches. 92m de haut. Table d'orientation. Panorama sur Nice, la mer et l'Estérel. Ouv. l'été de 9h à 20h ; l'hiver de 10h. à 17h30. L'entrée au château est gratuite, mais les ascenseurs sont payants. Montée: 3,50F. Aller-retour: 5F. Tarifs réduits pour les enfants de 4 à 10 ans: 1,80 F la montée, 3,60 F l'aller-retour. Tél. 93.85.62.33.

3 MINI FRANCE – La France en miniature. RN7 – Nicopolis – BRIGNOLES. Var. Vous découvrirez dans un jardin botanique de 2 ha, océan, mers, montagnes, fleuves, et principaux monuments français réalisés à l'échelle. Restauration traditionnelle, bar glacier, aire de pique-nique, jeux d'enfants et manèges. Tarifs: adultes: 48 F – enfants de 5 à 12 ans: 28 F, moins de 5 ans: gratuit. Ouv. de mars au 15 oct. de 10h. au crépuscule. Été: 10h. à 24h. Tél. 94.69.26.00.

4 PISCINE MUNICIPALE "ALEX JANY"/MENTON – 8, rte de Sospel. Piscine climatisée (25 x 12,5). Eau douce 28°. Cours de natation, club de natation. Fermé juil. , août pour travaux. Tarif des entrées et horaires. Tél. 93.35.87.40.

5 PISCINE MUNICIPALE PIERRE DE COUBERTIN/ CANNES – Av. P.-Poesi, Cannes-la-Bocca. Piscine couverte et chauffée tte l'année. 1 bassin (25 x 15m) et initiation (12,5 x 10.) Leçons de natation. Tarifs et horaires: tél. 93.47.12.94.

6 TENNIS CLUB DE MENTON – 16, rue Albert 1er. 8 courts: 7 en terre battue, 1 en dur (dont 3 éclairés). Leçons particulières. Club-House, restaurant. Ouv. tte l'année. Tél, 93.57.85.85.

7 PARC ZOOLOGIQUE DU CHÂTEAU DE LA BARBEN – Entre Aix et Salon de Provence. Visite du vivarium, de l'aquarium, de l'oisellerie et du zoo. Un site inoubliable de 40 hectares et 9 km de balade. Les plus grands mammifères terrestres. Ouvert de 10h. à 18h. ts les jrs juin, juillet, août, les autres mois fermé mardi. Restaurant, buvette, boutique. Adultes 50 F, enfants 25 F. Tél 90.55.19.12.

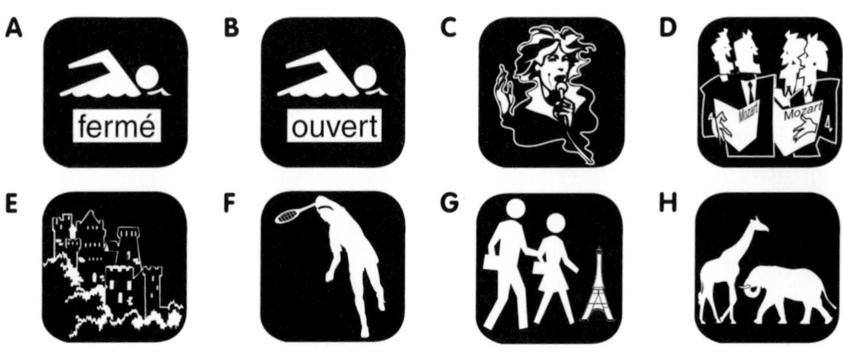

[6 marks]

10 Communication

- You have only two questions, but each answer requires at least two pieces of information. Your aim is to explain absolutely clearly so that your friend will know exactly what to do.

- Keep to a minimum any words you look up in a dictionary. You should not need to look up, for example, the words below:

  – ***l'opérateur***: you know that this is about telephoning and the English word is very similar.

  – ***les appels***: you know that this is about telephoning; you also know that the French word *appeler* means 'to call'.

  – ***un publiphone***: which two English words does this remind you of?

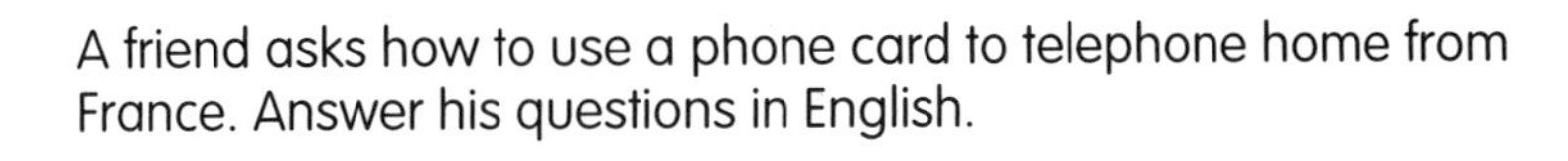

A friend asks how to use a phone card to telephone home from France. Answer his questions in English.

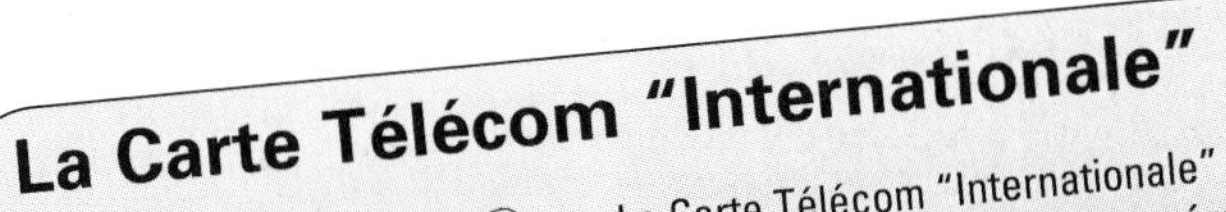

La Carte Télécom "Internationale"

- La Carte Télécom "Internationale" vous permet d'appeler n'importe quel numéro français ou étranger lorsque vous vous trouvez en France (sauf dans les T.O.M.).
- Vous pouvez établir vos communications:
  – à partir des nouvelles cabines munies de publiphones à cartes à mémoire, en y introduisant votre Carte Télécom.
  – à partir de n'importe quel poste téléphonique ou cabines équipées de publiphones à pièces, en passant par l'opérateur: du 10 pour les appels en France métropolitaine; du 19.33 pour les appels vers l'étranger et les D.O.M:/T.O.M.

1 Where can I call to with this card? [2]

2 What exactly must I do to call the UK with this, from an ordinary public telephone (not one of the new phones)? [2]

[4 marks]

E The international world

11 Tourism

- As usual, begin by making sure that you understand the instructions and the questions. Study the example to make sure that you know what to do. Also as usual, look at the questions before you read the text: work on each question in turn, find the answer in the text and write it down. It's easy to work out in which part of the text you will find each answer.
- Each answer is worth just one mark, so keep your answers short and simple. Most of the answers can be copied straight from the text.

Lisez les informations sur les "Vacances Actives" …

Écrivez les détails **en français**.

Vacances Actives

LES GRANDS ESPACES
Saint-Agrève: une région de lacs et de forêts à 1050 m d'altitude.
Une semaine de découverte à ski.
Hôtel 1 étoile, 7 jours en pension complète, matériel de ski, encadrement ski.

RIVIÈRE ET AVENTURE
Une semaine pour explorer la rivière Ardèche: 6 jours en canoë-kayak avec camping sauvage la nuit dans les Gorges, et déjeuners et dîners pique-nique.
Plus une journée complète de repos à l'arrivée.

MINI TOUR DE FRANCE
Un séjour sportif intense avec au programme: sept jours de Vélo Tout Terrain (VTT) en Bretagne.
Accompagnement: moniteurs diplômés.
Hébergement: auberge de jeunesse.
Matériel et nourriture non fournis.

CHEVAUCHÉE FANTASTIQUE
Au choix, un week-end (2 jours) ou 5 jours de randonnée à cheval dans une nature sauvage.
Votre chevauchée sera d'environ 30 km par jour.
Étapes en gîtes ruraux avec spécialités régionales.
Pension complète et accompagnateurs diplômés.

Exemple:

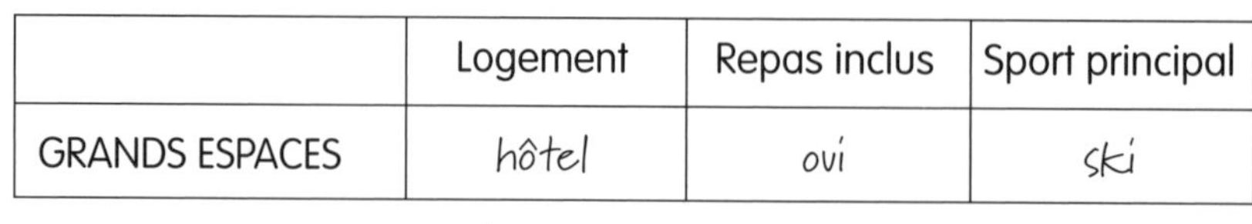

	Logement	Repas inclus	Sport principal
GRANDS ESPACES	hôtel	oui	ski

	Logement	Repas inclus (oui/non)	Sport principal
RIVIÈRE ET AVENTURE	**1**	**2**	**3**
MINI TOUR DE FRANCE	**4**	**5**	**6**
CHEVAUCHÉE FANTASTIQUE	**7**	**8**	**9**

[9 marks]

Adapted from MEG material

Reading: Part 3

In Part 3, you can learn how to do everything you need to earn a Grade A:

- **Understand gist.**
- **Identify main points and detail** in a variety of types of authentic texts.
- **Recognise points of view, attitudes and emotions.**
- **Draw conclusions.**
- **Make appropriate use of reference materials.**

A Everyday activities

1 School

- There is one mark only for each question, so keep your answers short and simple.
- Be careful with Number 4. Most of the words in your answer can come from the article but you will have to change some of the words as, in the article, Charlotte is talking about herself and, in your answer, you report what **she** says. Think of the easiest way possible of doing this.

Lisez cet article.

Répondez aux questions **en français**.

1 Comment est-ce qu'elle va à l'école chaque matin? [1]

2 Combien de temps met-elle pour arriver à l'école? [1]

3 Quand est-ce qu'elle fait un peu de sport? [1]

4 Pourquoi est-ce qu'elle veut faire plus de sport? [1]

[4 marks]

Six heures. Mon réveil sonne. Mon père frappe à la porte. Zut, je suis en retard, il faut courir: 6h 45, le bus arrive. Comme d'habitude, il est plein. 1 heure plus tard, après 2 changements, j'arrive au lycée. Il est 7h 48.

Nous sommes 43 élèves pour le cours d'anglais. Toute la journée, ça va être comme ça! La course, les horaires fous … 18h, je suis fatiguée, crevée.

19h, je me remets au travail: il y a beaucoup de devoirs pour demain. C'est une vie folle, non? Les programmes sont trop lourds et le travail n'est jamais fini.

Je n'ai que le mercredi après-midi pour faire un peu de sport. J'adore la danse, mais une heure par semaine ce n'est pas assez. Je devrais et j'aimerais pratiquer tous les jours. Ça me ferait tellement de bien; je suis si détendue après le sport, mais trouver une heure par jour dans mon emploi du temps, c'est impossible.

J'en ai assez. Si vous êtes comme moi, écrivez-moi. Vos lettres me feront plaisir. Merci d'avance.

Charlotte

Adapted from MEG material

2 Home life

- You need to say which word from the list goes in each gap. For example, Word F goes in Gap 1, so you write 1 – F.
- The best way to tackle this sort of test is to start with the text. When you come to a gap, find the right word to fill it.
- Sometimes, but not always, the pictures will help you, so always look at them to see if they do help. In Gap 2, for example, you can tell from the words around the gap that the missing word is about the mother's work, and the picture gives you a clue. In Gap 4, you can see that the missing word tells you what Joseph receives every week: what could it be?
- You shouldn't need to look up words like these:
  – ***directeur***: French words which end in *-eur* often end in '-or' in English (e.g. *acteur, empereur*).
  – ***risque***: Words which end with *-que* in French often end, in English, with '-c', '-ck', '-ch', '-k' or '-cal' (e.g. *automatique, attaque, physique, époque*)

Complétez l'histoire de Joseph. Quel mot va dans quel blanc?

La maman de Joseph qui était **1** dans son pays, l'Espagne, ne trouve que des travaux de **2** pour nourrir sa famille.

Tout petit, Joseph **3** pour aider sa famille. Dès l'âge de 4 ans, avant d'aller à l'école, il sert la messe au couvent du Bon Pasteur.

En échange, Soeur Antoinette lui sert le petit déjeuner. Il reçoit aussi **4** par semaine. Il les donne à sa maman. Il est content de pouvoir ainsi l'aider.

A 7 ans, Joseph fait les courses pour Marie-Louise, la **5**. En échange, elle lui donne de la viande de cheval pour sa famille. La viande était parfois dure...

Joseph a un **6** Edouard, qui vit seul avec sa maman. Ils **7** ensemble. Joseph défend Edouard, à l'école, quand les autres l'injurient.

Maman choisit le meilleur **8** qui soigne gratuitement les familles pauvres. Joseph est heureux. Tout le monde est gentil. On l'a appelé "Monsieur"!

Mais la **9** a fait pleurer de honte la maman en disant devant tous les autres: "Vous avez une carte de soins gratuits, vous n'avez donc rien à payer."

Joseph ne travaille pas très bien à l'école. Il a trop de responsabilités et de soucis. Le **10** ne veut pas prendre le risque de présenter Joseph au certificat d'études.

Exemple: 1 – F

A bouchère
B copain
C dentiste
D 2 francs
E directeur
F institutrice
G jouent
H ménage
I secrétaire
J travaille

[9 marks]

3 Media

- Copy down only **four** of the words in the list which can be used to describe this book.
- Try to work out for yourself any words which you need to understand. For example, nouns in French which end in -é often, in English, end in '-y' (e.g. *beauté, électricité, société*). So, what do you think *cruauté* means?

LIVRES

UN LIVRE IMPORTANT

Il n'est pas cher, il n'est pas gros, ce n'est pas un roman, c'est un livre important. Avec un titre tout simple : *Le secret..*

Il raconte ce qui est arrivé à une petite fille, entre 5 et 7 ans, dans un village de France, durant la Seconde Guerre mondiale.

C'est une histoire terrible, celle de la cruauté; et c'est pourquoi je ne conseille ce livre qu'aux plus grands parmi vous.

Le secret est une histoire vraie. Complètement vraie.

Ce livre vient de sortir en « Livre de poche », discrètement. Discrètement, pudiquement. Comme il a été écrit. Avec la même retenue. Comment voulez-vous hausser le ton, un tant soit peu, quand on écrit une telle histoire, sa propre histoire? Mais à quoi serviraient les journaux s'ils n'attiraient pas l'attention sur de semblables voix?

Claude Raison

22

D'après l'auteur de l'article, quels mots est-ce qu'on peut utiliser pour décrire ce livre? Il y en a 4.

long	bizarre
bête	ennuyeux
triste	autobiographique
nouveau	excellent
cher	

[4 marks]

4 Food

- In the exam where this item appeared, there were only three marks out of 30 for the item, so it's really only worth five minutes of your time. Try to complete it in five minutes or less.
- Write the name of the restaurant which best answers each question. In each case, read the question first and then look for the restaurant which matches.
- You don't need to understand all the words in the questions: try to read them quickly and to seek out the key words in each which relate to one of the restaurants.

Quel restaurant allez-vous choisir? Écrivez le nom du meilleur restaurant pour chaque question.

1 Il fait très chaud et vous êtes en route et vous voulez manger du poisson, en plein air si possible.

2 Vous avez lu cet article dans un magazine et vous voulez essayer ce restaurant.

> ***Il est conseillé à toutes personnes de passage à Montpellier, désireuses de trouver un petit coin tranquille pour manger et voulant éviter tout problème de stationnement, d'essayer ce nouveau restaurant dont l'odeur des grillades au feu de bois vous met en appétit.***

3 Un ami vous écrit en recommandant un autre restaurant. Lequel?

> "... et, tu sais, je mourais de faim quand Henri et moi sommes sortis du théâtre, et je commençais à me demander où l'on trouverait un restaurant qui accepterait de nous servir à onze heures quinze du soir. Heureusement nous avons eu une chance extraordinaire et avons trouvé un petit restaurant tout à fait merveilleux - un steak, ma chère, cuit à point comme on l'avait demandé, et un gâteau viennois, un vrai délice!"

[3 marks]

5 Health and fitness

- You have time to look up in a dictionary the key words of this item. Allow yourself a maximum of two minutes to look up any of the following you are not sure about: *piqûre, piquer, moustique, guêpe, visage*. You should then find it easy to answer the questions in three minutes.

- You should not need to look up words like these:

  – ***dangereux***: many words which, in French, end with *-eux*, end in English with '-ous' (e.g. *précieux, religieux*).

  – ***insecte***: often, if you take off the final -e from a French noun or adjective, you have the English equivalent (e.g. *branche, liquide, signe, vaste*).

Tu lis ces renseignements dans une pharmacie.

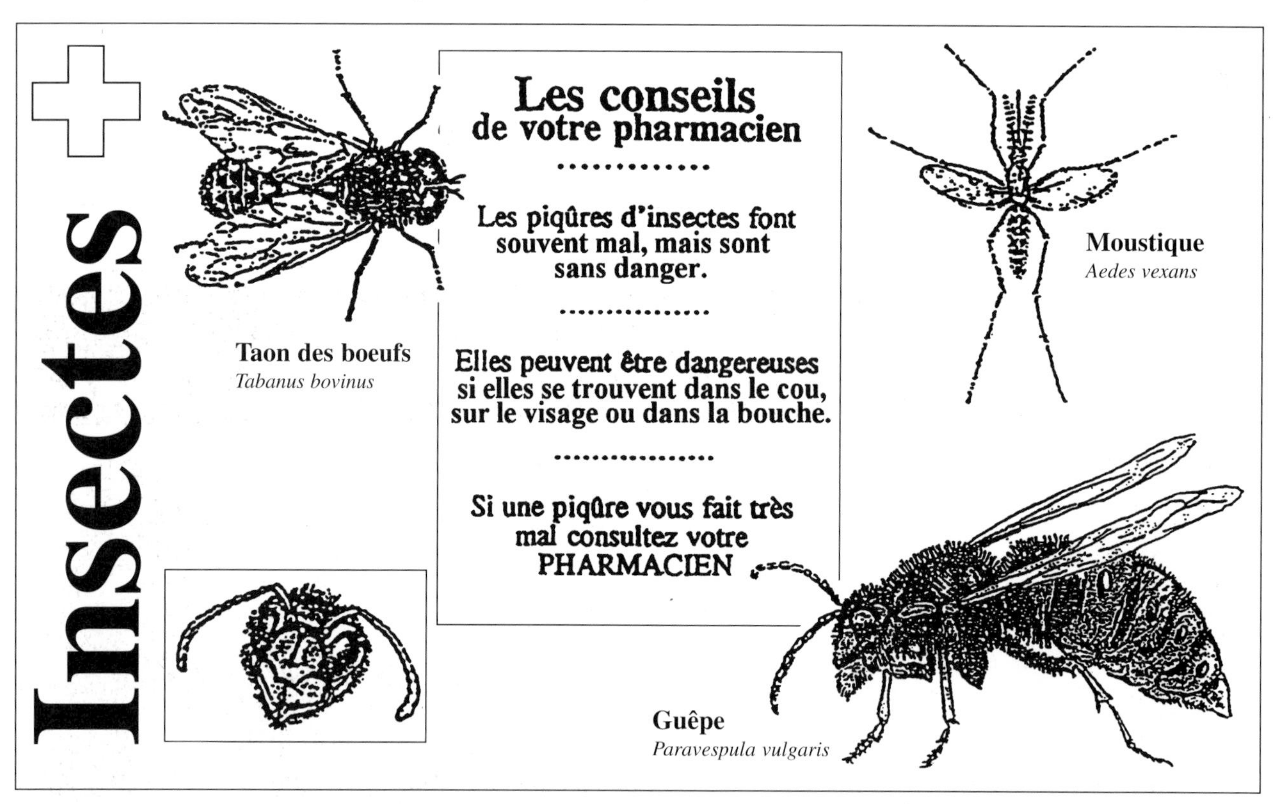

Vrai ou faux? Écris **vrai** ou **faux** pour chaque phrase.

1. Les piqûres d'insectes sont toujours dangereuses.
2. Si un moustique te pique près des yeux, c'est peut-être dangereux.
3. Si une guêpe te pique à la jambe, ce n'est probablement pas dangereux.
4. Si tu as une mauvaise piqûre il faut aller tout de suite à l'hôpital. [4 marks]

B Personal and social life

6 Self, family and friends

- This is quite a long text, so you need to work very carefully to be quick and accurate.
- Keep your answers as short and simple as possible, but be careful: you must be ready, where necessary, to change the wording **to report** what Mélody says. A simple way of doing this, for example with Number 2, is to write *Mélody dit '...'* and to put, between inverted commas, what she says about her parents.

Regardez l'article sur Mélody.

1 Mélody, qu'est-ce qu'elle fait dans la vie? Donnez 2 détails. [2]

2 Est-ce qu'elle s'entend bien avec ses parents? Expliquez. [2]

3 Est-ce qu'elle a une vie difficile? Expliquez. [2] [6 marks]

Mélody a douze ans et nous vient de Belgique.

QUESTIONS A...

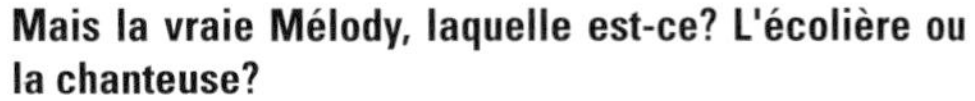

Bonjour Mélody! Alors ça y est, c'est la rentrée?

Eh oui! Il faut bien que les vacances s'arrêtent un jour... Et puis je rentre en première (ce qui correspond à la sixième pour vous en France), c'est-à-dire la première année du secondaire. Il va donc falloir que je travaille très sérieusement. Je vais avoir un emploi du temps beaucoup plus chargé que ce que j'avais jusqu'à maintenant. Et puis, je vais commencer à étudier l'anglais... Là, l'école vient juste de recommencer, mais je sais qu'il va falloir que je m'organise...

Raconte-nous un peu comment ça se passe avec les enfants de ton âge?

Tous mes anciens amis m'ont vu débuter. Ils m'accompagnaient même parfois dans les bals ou les galas où j'allais chanter en imitant les chanteurs que j'aimais bien comme Elsa ou le groupe Images. Ils m'aidaient même à répéter. Alors, pour eux, le fait que je sois entrée au Top 50 ne change rien dans notre amitié. Au contraire, je crois qu'ils sont très fiers de moi. Enfin... je l'espère (rires!).

Mais la vraie Mélody, laquelle est-ce? L'écolière ou la chanteuse?

C'est vrai que j'ai parfois l'impression de mener une double vie. Heureusement, mes parents sont là pour m'aider. Ils sont toujours à mes côtés, prêts à me réconforter ou à savoir si la vraie Mélody se cache derrière l'écolière ou la chanteuse... Je ne sais pas encore... Peut-être un peu les deux. On verra plus tard.

Ta réaction lorsque tu es entrée au Top?

J'étais hyper contente... Tout a été tellement rapide. C'est génial... Mais je sais que ce n'est qu'un début. J'ai encore plein de travail devant moi.

7 Free time, holidays and special occasions

- Keep your answers as short and simple as possible. For example, you will score full marks in Number 1 for simply writing *18 ans*.
- Be careful with Number 6: most of your answer can come from the text, but you will need to change *je* to *elle* and change the verb accordingly. Find the simplest way of doing this.
- As usual, don't waste time looking up in a dictionary words which you don't need to look up, for example the word *l'entraînement* at the end of the first paragraph. You know, from the photo and the sentence the word occurs in, that Laetitia is a skater and that the interview takes place in a *palais omnisports*. Knowing that, what English word does *entraînement* remind you of?

Lis ce texte et réponds aux questions.

Laetitia Hubert a 18 ans. Elle est classée quatrième aux championnats du monde. Sophie Coucharrière l'a rencontrée au Palais Omnisports de Bercy, à Paris, juste après l'entraînement.

Laetitia, en jeans et baskets, l'a gentiment reçue, dans les vestiaires, pour lui raconter sa vie de «tous les jours».

Sophie Coucharrière: *Comment tout cela a-t-il commencé pour vous?*

Laetitia Hubert: Mes parents aimaient beaucoup le patinage. Ils allaient à la patinoire, le week-end. Un jour, ils n'ont pas trouvé de nourrice pour me garder, ils ont été obligés de m'emmener. J'avais 3 ans, et très mauvais caractère, paraît-il!

Je leur ai fait une telle vie sur le bord de la piste, qu'ils ont fini par trouver des patins à ma taille, pour me faire patiner avec eux. Et au moment de partir, je ne voulais plus quitter la piste. Ils ont alors décidé de m'inscrire dans un club, une heure par semaine. Cela m'a plu, j'y suis allée, de plus en plus. Je suis entrée, à l'âge de 6 ans, dans une école de glace: L'École des enfants du spectacle, à Paris. C'est une école aménagée pour les sportifs, les musiciens, les acteurs, les danseurs, les élèves du cirque.

Sophie Coucharrière: *Alors, on vous verra peut-être encore aux Jeux Olympiques l'année prochaine?*

Laetitia Hubert: Malheureusement, non. Je suis maintenant professionnelle.

1. Laetitia Hubert a quel âge? [1]
2. Qu'est-ce qu'elle faisait juste avant cette interview? [1]
3. Qu'est-ce qu'elle portait comme vêtements au moment de l'interview? [2]
4. Elle a commencé à faire du patinage à quel âge? [1]
5. Comment était-elle quand elle était très petite? Écrivez le meilleur mot: gentille, méchante, sage, sympa. [1]
6. Comment sais-tu qu'elle aimait beaucoup le patinage comme enfant? [2]
7. Pourquoi est-ce qu'elle n'ira pas aux Jeux Olympiques? [1]

[9 marks]

8 Personal relationships and social activities

- You can find in the text nearly all the words you need to complete the six sentences. Study each sentence in turn and look for the missing words in the text.
- To help you find the missing words, work out from the incomplete sentences what sorts of words are missing. This will help you to find them in the text. For example, in Sentence 1, the missing word must be a name; in Sentence 2, it must be a noun; and in Sentence 3, it must be an adjective.

Vous lisez ce problème et cette solution dans un magazine.

Complétez ces phrases.

1 La jeune fille qui a écrit cette lettre s'appelle … .

2 Ses parents n'aiment pas qu'elle sorte avec … .

3 D'après eux, Nicolas est … de tous ses problèmes.

4 Ses parents essaient de les … .

5 Elle doit tout simplement leur prouver qu'ils … .

6 Le magazine lui conseille de … avec ses parents.

[6 marks]

CAROLINE

"Ils n'admettent pas que j'ai un petit ami"

uand mes parents ont découvert que je sortais avec un garçon depuis déjà un an et demi, ils n'ont pas supporté. À les entendre, Nicolas, mon boyfriend, est responsable de tout ce qui ne va pas chez moi. Je travaille moins bien à l'école, je suis devenue insolente avec eux, je m'habille d'une manière excentrique, etc. Ils ne comprennent pas que Nicolas et moi on s'aime vraiment. Ils font tout pour nous séparer et pour m'empêcher de sortir.

 LA SOLUTION 

Pour que tes parents soient cool avec toi et avec Nicolas, il suffit de leur prouver qu'ils peuvent avoir confiance en vous. Faire des cachotteries derrière leur dos est le meilleur moyen de créer des conflits. Même si ce n'est pas évident, ils sont beaucoup plus compréhensifs qu'ils ne le paraissent. Mieux vaut parler franchement de ses problèmes que de laisser s'enliser la relation dans le mensonge.

9 Leisure and entertainment

Your steps to success:

1 Read the questions and make sure you understand them. Use your dictionary if you have to, but don't waste time looking up words which you can guess, e.g. *publicité*: change the *-té* to '-ty' and you have the English word. (Other words like this include: *mobilité, proximité, fidélité*.)

2 The questions will give you a good idea of what the text is about. Is it about:

a) a station?

b) a cinema?

c) a house?

Réponse: It's about a cinema: the clues include words like *écrans, séance, film*.

3 Before you answer the questions, look at the number in brackets after each question. This tells you how many marks there are for that question and is an excellent guide to how much information to give in your answer: 1 point = 1 piece of information, 2 points = 2 pieces of information.

4 Now tackle each question in turn. Find the part of the text where the answer is. There is nearly always a key word in the question which occurs in the text or relates clearly to a word in the text (e.g. *écran – salle; ascenseur – ascenseur; bonbons – confiserie*).

5 When you have found where the answer is, use a dictionary, if you need to, to be sure about the answer. But only look up words in the part of the text where the answer is.

6 Your answer can usually be taken direct from the text, with little or no change, and need not be long.

7 When you have written your answers, make sure that the examiner can read them. Then, if you have time in hand, check that you have copied all the words correctly.

Répondez aux questions **en français**. Un mot ou une courte phrase suffit.

ARVOR PRATIQUE

ACCESSIBILITÉ aux 2 salles pour les personnes à mobilité réduite par ascenseur. Des places sont réservées dans les 2 salles pour les spectateurs en fauteuil.

BUS: Les lignes de bus 1-2-4-7-10-20-22-50-51-52-64-67-68 et le service de soirée ont un arrêt à proximite de l'Arvor.

CAPACITÉS:

Salle Paulette Dubost: 199

Salle Marcel Bozzuffi: 163

CONFISERIE: Un distributeur de confiserie est à votre disposition dans le hall du cinéma.

ÉQUIPEMENT: les deux salles sont équipées en Dolby Stéréo. La salle Paulette Dubost est équipée d'une boucle magnétique permettant aux mal-entendants appareillés de capter le son du film projeté dans cette salle. Les deux salles ont entièrement été rénovées en 1992.

FILMS: Les films sont projetés en version originale sous-titrée en français. Les films annoncés sont projetés du mercredi au mardi suivant inclus (Ouest-France indique dans son édition du mardi les films quittant l'affiche le mardi soir). Les horaires des films maintenus peuvent être modifiés d'une semaine à l'autre ainsi que le nombre des séances. Les films programmés pour la semaine suivante sont affichés à la caisse du cinéma le lundi après-midi.

HORAIRES: Aux alentours de 14h – 16h – 18h – 20h – 22h (la durée de certains films peut modifier les horaires). Attention, les séances débutent par le film.

PARKINGS: Place Sainte-Anne, Les Lices et rues avoisinantes.

RÉDUCTIONS: Tarif réduit tous les jours aux séances de 14h – 16h – 20h et 22h sur présentation d'un des justificatifs suivants: carte d'etudiant, carte scolaire, carte chômeur, carte jeunes, carte vermeille, Club Image, militaires du contingent, FJT, stagiaires AFPA, familles nombreuses. Collège au cinéma. Tarif réduit le mercredi pour tous à toutes les séances.

TARIFS:

Tarif plein: 41F

Tarif réduit: 34F

Tarif fidélité: carnet de 10 places: 260F valable jusqu'au 25 juillet 1995

Tarif enfant (jusqu'à 12 ans): 26F.

TÉLÉLPHONE:

Répondeur: 99.38.72.40

Serveur vocal: 36.68.00.39 (2,19 F la minute)

Administration: 99.38.78.04

Le cinèma Arvor est adhérent à lAFCAE (Asociation Français des Cinémas d'Art et d'Essai), à l'ACOR (Association des Cinémas de l'Ouest pour la Recherche) et au Groupement des Cinémas de Recherche (les 2 salles sont classées Recherche).

Le cinéma ARVOR est une SALLE PAVILLON (salle proposant une programmation majoritairement européenne)

Numero 103 Avril 1995 Directeur de la publication Patrick Fretel Rédacteur en chef: Rene B'etio Comite de redaction Rene B'etio, Claude Jay, Gilles Kerommes. Marie-Helene Linares, Astrid Giger. **Creation maquette et impression** Les Lyces S A Rennes Prochain numero: le mercredi 3 Mai 1995.

ii) L'ascenseur, c'est pour qui? [1]

iii) Où peut-on acheter des bonbons, etc? [2]

iv) La dernière séance commence à quelle heure? [2]

v) Qui paie 34F le mercredi? [1]

vi) La publicité passe avant ou après le film? [2]

vii) Quelle sorte de films passe-t-on le plus souvent dans les Salles Pavillon? [1]

[1] [10 marks]

10 Arranging a meeting or activity

- Start with the questions and find, and write, the answer to each in turn. The information in the brochure is **not** in the same order as the questions, so you will need to scan over the text quickly to find the information you need. Remember to look at the **whole text**, including the map at the bottom. If two pieces of information are given, you need to write both.
- As always, don't waste time looking up words which you can work out for yourself. In French, *-ment* at the end of a word is usually the equivalent of '-ly' at the end of a word in English (e.g. *vraiment* = truly). Can you use this to work out the English for *constamment*?
- You also know that *-é* at the end of a French verb is usually like the English '-ed '(e.g. *réservé* = reserved). So what do you think the French word *filtré* means?

While in France on holiday with your family, you decide to visit the tourist attraction 'Toboggan'. You show your 9-year-old brother this brochure.

Une journée pas comme les autres*, où pour le prix d'une entrée vous pourrez emprunter les toboggans de l'ouverture à la fermeture.*

L'eau de toutes les attractions est ***constamment filtrée****.*

Dans l'enceinte ***d'Atlantic Toboggan*** *vous trouvez boissons fraîches, sandwiches, etc...*

Vous pourrez apprécier nos coins repos et apporter vos repas.

Adultes: 60F
Enfants 2 à 12 ans: 50F
Moins de 2 ans: GRATUIT
Possibilité d'abonnements.
Tarif de groupe.
Réservation: Tél: 51 58 05 37
Parking.
5000 places **gratuites**.

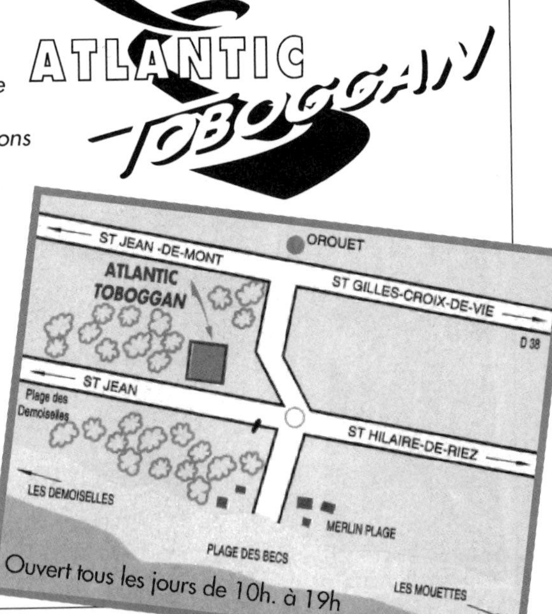

Your brother asks you these questions. Answer them **in English**.

1. When is Toboggan open?
2. How much will it cost me?
3. Do we have to pay extra for the water chute?
4. What's the water like?
5. What will we do about food? [5 marks]

C The world around us

11 Home town, local environment and customs

You have no time to waste on this, so try to do it without using a dictionary. Remember, you don't need to understand every word. Start with the questions and concentrate on the key words.

Lisez cette description de Nice et répondez aux questions en bas.

★★★ NICE

Capitale de la Côte d'Azur, reine de la Riviera, les titres de prestige ne manquent pas à cette station hivernale et estivale, qui est aussi un centre de tourisme privilégié. Située au fond de la baie des Anges, elle est abritée par un amphithéâtre de collines. Son succès vient du charme de son **site**★★, de son heureux climat, de ses richesses artistiques et des distractions innombrables qu'elle offre aux touristes et aux séjournants.

De plus, la proximité des pistes de ski – accessibles en une ou deux heures d'auto – est, pour une nombreuse clientèle, un des attraits de Nice.

Le torrent du Paillon, recouvert en partie d'esplanades et sur lequel ont été construits le théâtre, le Palais Acropolis et le Palais des Expositions, divise la ville en deux: à l'ouest, la ville moderne; à l'est, la vieille ville et le port, dominés par la colline de l'ancien château.

Complétez ces phrases, **en français**.

1 Nice est la plus grande ville de la … .

2 Les touristes vont à Nice en hiver et en … .

3 On va à Nice à cause de son site et du beau … .

4 À deux heures en voiture de Nice, on peut faire du … .

5 Une rivière divise Nice en … .

6 Le … se trouve au-dessus de la vieille ville et du port. [6 marks]

12 Finding the way

- As often happens, you need to understand only **one** part of this letter to answer the questions. Read the questions and then find, as quickly as possible, the paragraph in the letter which contains the information you need. You can ignore the rest of the letter.
- Write the numbers 1, 2, 3 and 4. Against each question, write the letter of the picture which illustrates what you have to do to find Christophe's home.

Regardez la lettre de Christophe.

Salut !

Je t'écris de ma nouvelle maison car je viens de déménager. J'habite maintenant à Chaville, dans la région parisienne.

Ma nouvelle adresse est : 2102 Avenue Roger Salengro
92370 CHAVILLE

Je n'habite pas très loin de la gare SNCF.
Tu prends la première rue à droite de la gare.
Tu longes la voie de chemin de fer jusqu'au premier carrefour. Tu tournes à gauche et tu marches jusqu'au numéro 2102..

Grosses Bises

Christophe

Numérotez les dessins 1, 2, 3, 4 **dans le bon ordre** pour arriver chez Christophe.

A
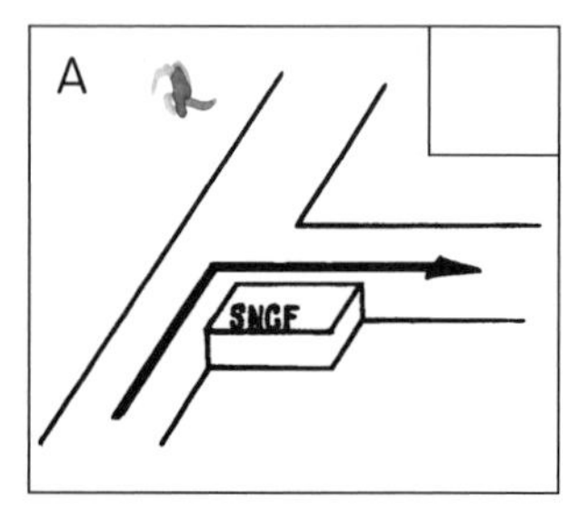

B

C
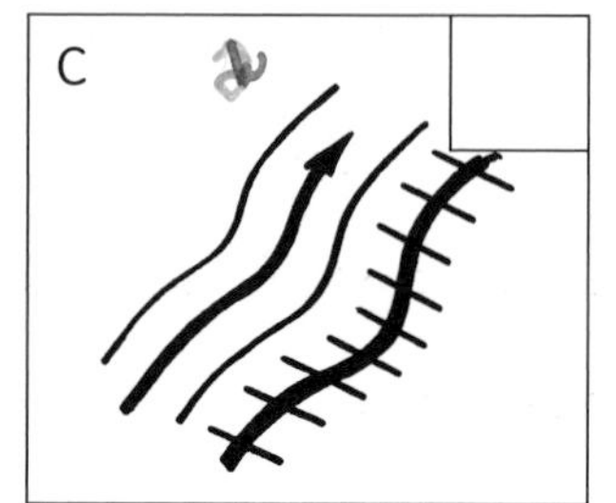

D
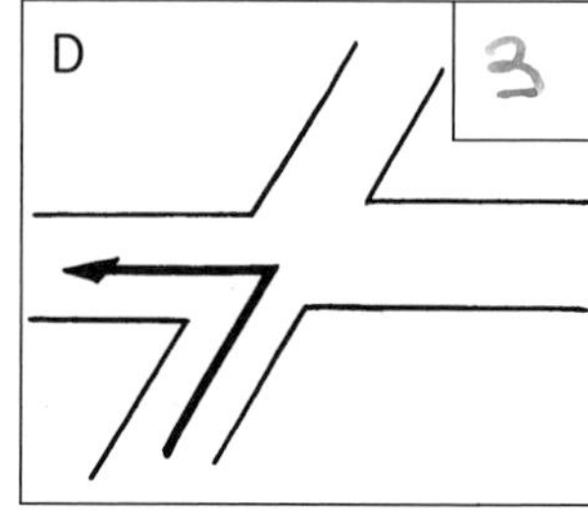

[4 marks]

13 Shopping

- Work on each question in turn and scan the text to find where the answer is. When there is a [2] next to a question, remember to give at least two pieces of information in your answer.
- As usual, save time if you can by working out for yourself the meaning of words which you need to understand. So, in the context of a brochure about a clothes store, what do you think the word *accessoires* means?
- You should not need to look up words like:

  interprète: words which, in French, end with *-e* or *-re* often end with '-er' in English (e.g. *ministre*, *ordre*).

You are a tourist guide. When your coach arrives at Strasbourg, some clients ask about shopping. Answer their questions about the Printemps department store. Answer in English.

La Direction du PRINTEMPS est heureuse de vous offrir ce plan, qui vous aidera à découvrir STRASBOURG, ville européenne, ville pittoresque, riche d'histoire et de traditions.

Cette brochure vous permettra de trouver facilement dans notre magasin les rayons que vous recherchez, et facilitera votre choix.

N'hésitez pas à demander une interprète: plusieurs de nos vendeuses parlent des langues étrangères.

La Direction du PRINTEMPS vous souhaite un très agréable séjour dans notre ville et espère recevoir bientôt votre visite.

LA DÉTAXE FACILE

Remise à l'exportation. Nous vous proposons la remise à l'exportation avec le maximum de facilités et d'avantages. **– 15,70% ou – 25%** suivant les articles et conformément aux réglementations douanières. Minimum d'achat: 1200 FF au total pour tous résidents hors Marché Commun et 2400 FF par article pour tous résidents de l'U.E. Bureau de détaxe: Service clientèle 4e étage.

Vous pouvez régler vos achats avec la plupart des devises ou avec les principales cartes de crédit. Un bureau de change est à votre disposition au Service clientèle 4e étage, ouvert du lundi au samedi de 9h à 19h.

LA MODE

HOMME

Le Printemps c'est aussi un univers pour l'homme. **«Brummell»,** spécialiste de l'élégance masculine, offre une sélection de marques réputées, de l'avant garde au traditionnel.

FEMME

Le Printemps c'est toute la mode: une sélection de grandes marques rassemblées au 2e étage avec leurs dernières nouveautés. La lingerie au 1er étage, les accessorires au rez-de-chaussée (rue du Noyer).

PARFUMERIE

Le Printemps c'est le spécialiste de la parfumerie: il offre une large sélection de marques prestigieuses.

SALON DE THÉ au 8e étage

Une vue merveilleuse sur les toits de Strasbourg. Installez-vous au salon de thé du Printemps et appréciez un bon moment de détente autour d'une glace, d'une pâtisserie, ou d'un rafraîchissement. Le salon c'est aussi le déjeuner avec ses grillades et ses petits plats.

1 Where can we change money? [1]

it's on 4th floor, bureau de change

2 What can we do if we can't speak French? [2]

There are intrepture. Many staff can speak a foriegn language

3 Where can we buy gloves and scarves for a lady? [1]

In the womens section,

4 How can we pay? [2]

credit card, cash

[6 marks]

14 Public services

- Start, as usual, with the questions. Scan the letter to find the section which answers each question, and ignore the rest.
- Give as many details as you can, especially for Number 3 where four marks are available.
- As usual, use the French that you do know to work out the meaning of words you don't know. You know, for example, that -able at the end of a word means the same in English and French (e.g. *potable* = drinkable). You also know that the French verb *souhaiter* means 'to desire'. So, what do you think *souhaitable* means?

  Réponse: desirable
- Similarly, you should not need to look up a word like *décrire*. You can often replace *dé-* with 'dis-' to find the English equivalent (e.g. *décourager, dégoûter*).

You are on a work placement at a local travel agency.

A client returning from France asks for your help. She has lost a bag on a train. Your agency has a letter from the SNCF about this.

Answer her questions **in English**.

1 I can't go there or phone them, so how can I report the loss? [1]

by writting a letter

2 How long will they keep my bag for? [1]

about 30 days

3 What information will I have to give about my bag? [4]

the description of the iteam, colour, patten, what was in, size

4 Is there anything else I need to tell them? [2]

when, where,

[8 marks]

CA

SOCIÉTÉ NATIONALE DES CHEMINS DE FER FRANÇAIS

DIRECTION COMMERCIALE VOYAGEURS
Département des ventes
54, boulevard Haussmann - 75436 PARIS CEDEX 09

Paris,
Le **20 AOUT 1997**

Monsieur,

Par lettre du 15 avril 1997, vous avez bien voulu nous demander des éléments d'information concernant les bureaux des objets trouvés dans les gares de la SNCF.

Je tiens tout d'abord à vous présenter mes excuses pour le retard apporté à vous répondre.

Les bureaux des objets trouvés sont signalés à l'attention des voyageurs dans les gares à l'aide du pictogramme suivant :

Il est indispensable que le propriétaire de l'objet perdu décrive celui-ci le plus exactement possible (matière, couleur, dimensions, contenu...) en insistant éventuellement sur des particularités qui permettront de reconnaître l'objet parmi d'autres de même nature (nom du fabricant ou marque de fabrique, initiales, traces de choc, etc...).

Il est en outre souhaitable de préciser le moment et le lieu (gare, train n°...) de la perte. La présentation d'un titre de réservation, voire d'un billet, peut permettre à l'agent de mieux orienter les recherches.

La déclaration de perte peut être faite verbalement ou par écrit mais je ne saurais trop insister sur la nécessité d'effectuer la demande de recherches dès que la perte est constatée. En effet, les objets trouvés ne sont conservés que 30 jours par la SNCF avant leur remise à l'administration des domaines.

Enfin, avant de rentrer en possession de son bien, le propriétaire doit justifier de son identité.

Restant à votre disposition pour tout renseignement complémentaire, je vous prie d'agréer, Monsieur, l'assurance de mes sentiments distingués.

Le Chef du Service Consommateurs et Après-vente,

Durand

M.DURAND

15 Education and training

- Remember: don't try to understand every word and don't look in a dictionary every time you are not sure what a word means. Not all words are in the dictionary and you will just waste valuable time if you look for words like *soixante-seize* and *cinquante-deux*, because they are not in the dictionary.
- Start, as usual, with the questions and skim over the text to find the answers.

CHIFFRES
31 000 francs

C'est le prix que coûte un étudiant d'université au budget de l'État chaque année. D'autres filières, davantage encadrées, reviennent plus cher: 52 500 F pour un étudiant d'IUT, 56 000 F pour celui de BTS, 70 600 F pour celui des classes préparatoires aux grandes écoles et 76 300 francs pour les ingénieurs des filières universitaires.

Lisez cet extrait ci-dessus. Dites ensuite quel chiffre complète chaque phrase.

Exemple: 1 – C

1. Un étudiant d'université coûte … francs par an.
2. Un étudiant dans une école technique coûte … francs par an.
3. Un étudiant qui espère être ingénieur coûte … francs par an.
4. Quelqu'un dans une classe préparatoire pour une grande école coûte … francs par an.

A Soixante-seize mille trois cents.

B Cinquante-deux mille cinq cents.

C Trente et un mille.

D Soixante-dix mille six cents.

[3 marks]

16 Education and training

The questions are in English, so answer them in English. Otherwise, follow the usual steps to success (see page 7).

Read this notice. Your friend is interested in a career in the hotel business. Answer her questions.

FORMATION RÉCEPTIONNAIRE D'HÔTEL

POLYVALENCE EN RESTAURATION DURÉE DU STAGE: 17 SEMAINES, DONT 5 SEMAINES EN ENTREPRISE.

Les stagiaires seront disponibles sur le marché du travail à partir d'avril.

1 What is it advertising? [2]

2 What happens for 17 weeks? [1]

3 And what happens for 5 weeks? [1]

[4 marks]

17 Careers and employment

- As usual, make sure that you know what to do and restrict yourself to that: don't waste precious time doing other things. The only thing you need to get from each advertisement is how to apply for the job: by letter, by phone or by going to the employer.

- You may need to work out what some words mean. You can guess what *présenter* means (i.e. to present). You know that putting *se* in front of a French verb means that you do the action to yourself (e.g. *laver* = to wash, *se laver* = to wash oneself). So, what do you think that *se présenter* means?

  Réponse: to present oneself

  Note that this is abbreviated to *se prés.* in some of the advertisements.

Regardez ces annonces.

Choisissez la bonne lettre pour chaque annonce.

Exemple: 1 – C

A  

B 

C  

[5 marks]

OFFRES FORUM DE L'EMPLOI

INDUSTRIE

1 ***AGT Maîtrise***
HORAIRES EQUIPE
MISS. LONGUE DURÉE
RÉF. EXIGÉES
CHAUDRONNIER – SOUDEUR
SEMI-AUTO AV. EXP.
Se présenter avec réf. ou env. CV 1 rue du Col. Moll 9360 AULNAY SS BOIS Tél 48.09.58.58

COURSIERS

2 Sté coursiers 47.91.21.45 recherche
COURSIER ARTISAN
moto équipée pour 18F HT le bon

PERSONNEL DE NETTOYAGE

3 NPS rech. laveurs de vitres – agents de nettoyage pr Suresnes Courbevole. St-Ouen (93) Se prés. ce jour de 9h à 16h au 273, rue Gabriel Péri 92700 COLOMBES

BÂTIMENT T.P.

4 Entreprise de levage rech. Conducteur pour grues mobiles rég. Nord de Paris Env. CV sous réf. 5382 à Manchette Publicité 25 cv. Michelet 93400 St Ouen qui transmettra.

CHAUFFEURS LIVREURS

5 H.33 ans rech. place de Chauffeur Routier permis C1 disponible
Tél: 34.17.04.28

VENDEURS, VENDEUSES

6 Société recherche pour SECTEUR 91
5 VENDEURS
5 Démonstrateurs
Tél ce jour pour RDV 69.07.61.22. de 9h à 19h

Chaque jour la garantie de milliers d'offres d'emploi sérieuses

3615 JOBTEL

E The international world

18 Life in other countries and communities

- For each question, you have a choice of three answers: Carole, Jean-Jacques and Karine. Start, as usual, from the questions and look for the answers in the text.
- In this test, the questions are not in the order in which the answers appear in the text, so the answer to Number 1 may come **after** the answer to Number 2, etc.
- You should not need to look up words like:
  – ***activité:*** often, if you change the final -é to '-y,' you have the English equivalent (e.g. *beauté*).

Un magazine pour les jeunes a publié cet article.

Pour chaque phrase ci-dessous, écris le nom de la personne qui a exprimé cette opinion.

UN AN À l'ÉTRANGER

Nous avons demandé à trois jeunes qui ont passé un an à l'étranger de nous donner leur opinion:

CAROLE:
Je me souviendrai toujours de mon premier jour aux États-Unis. On m'a réveillée à six heures. Il fallait prendre le bus à six heures et quart – même pas le temps de boire un café. Et puis une journée scolaire tout à fait différente. Je ne comprenais rien de ce qui se passait, c'était horrible – et puis le repas à la cantine était dégoûtant. Maintenant ça va un peu mieux, mais je ne m'y suis jamais vraiment habituée.

JEAN-JACQUES:
Je me suis trouvé dans un petit village dans le North Dakota. La neige est tombée la deuxième semaine de septembre. J'ai eu très froid, et au début je me sentais un peu seul. Mais mes relations avec les autres se sont améliorées et j'ai trouvé l'ambiance du lycée très amicale.

KARINE:
À la maison et au lycée on disait toujours que j'étais timide – mais en Australie j'ai fait des choses que je n'aurais jamais eu l'idée de faire en France. Du cross-country, alors que je ne suis pas du tout sportive! Je suis même devenue supporter de l'équipe de football...

1 N'aimait pas le climat. [1]

2 N'aimait pas la nourriture. [1]

3 A essayé de nouvelles activités. [1]

4 Devait se lever très tôt le matin. [1]

5 Trouvait les autres élèves très accueillants. [1]

À ton avis,

6 Qui a trouvé que son expérience avait du bon et du mauvais? [1]

7 Qui a trouvé l'expérience plutôt négative? [1]

8 Qui a trouvé l'expérience positive? [1]

[8 marks]

19 Tourism

- You need here to write your answers in French: keep your answers as short and simple as possible.
- As usual, start by reading the questions. Make sure that you really understand them and use a dictionary if you have to. Then go back to Number 1 and look for the information in the letter about meals. Work on the other questions in the same way.
- Try, as usual, to work out for yourself what key words mean. You know, for example, that *traverser* means 'to cross'. So, what do you think the word *la traversée* (in Number 2) means, in the context of a journey?

Regardez la lettre de Johanna.

Chère amie,

Je suis arrivée à Laval très fatiguée. Le voyage a été long. On est resté 9 heures sur le bateau. J'étais avec Céline B. On a visité le bateau, il n'y a rien d'extraordinaire, on en a vite fait le tour. Le midi, on a mangé un jambon-frites. J'ai tout vomi dans les W.C. Pourtant, la mer ne bougeait pas beaucoup. On a regardé la télévision: 2 films: "La Smala" et "Paroles et musique". C'était en version française. Ensuite, on a dîné. Peu de temps après, on est arrivé à St Malo. Il fallait porter les valises. On est parti de St Malo à 8H30mn. Le car ne roulait pas vite et on a perdu du temps. Enfin, on est arrivé à Laval à 23H10mn environ. Pendant tout le voyage, M. Perrin, le mari de notre prof d'anglais nous suivait en voiture (une Peugeot 305). Bon, il faut que je te quitte.

Salut!

Johanna

1 Combien de repas Johanna a-t-elle pris sur le bateau? [1]

2 Combien de temps la traversée a-t-elle duré? [1]

3 Qu'est-ce que Johanna a pensé du voyage? Expliquez: donnez deux raisons. [2]

4 Pourquoi est-ce que le groupe est arrivé si tard à Laval? [2]

[6 marks]

20 Accommodation

- To be as efficient as possible, start with the questions and work on them one at a time. Make sure that you know what information each question requires and use a dictionary to check this, if you need to. Then look in the text for that specific information.
- Keep your answers short and simple – and don't worry about the spelling. You won't lose marks for spelling mistakes provided that it is clear what the words mean.

Vous trouvez un article sur les auberges de jeunesse.

CENTRALE DES AUBERGES DE JEUNESSE LUXEMBOURGEOISES

■ Les auberges de jeunesse luxembourgeoises (AJ) sont ouvertes à tous les jeunes munis d'une carte d'hébergement valable, sans distinction de nationalité, de race, de religion ou d'opinion politique.

■ Il faut s'inscrire à l'AJ avant 19.00h. L'auberge est fermée à partir de 22.00h (23.00h en été). Pour des raisons d'organisation (par exemple, nettoyage), l'AJ reste fermée de 10.00h à 14.00h.

■ À l'arrivée, la carte d'hébergement est à remettre aux parents aubergistes (PA).

■ Pas de logement sans sac de couchage en tissu lavable, ceci pour des raisons d'hygiène.

■ Il est défendu de faire la cuisine ou de manger dans les dortoirs. Les usagers individuels peuvent préparer leurs repas dans la cuisine.

■ En général, il est défendu de mettre en marche sur le territoire de l'AJ des postes de radio portatifs, tourne-disques, ou autres instruments de musique électroniques. Par contre, les guitares, flûtes et harmonicas sont les bienvenus dans toutes les AJ.

■ Il est strictement défendu de consommer des boissons alcoolisées et de fumer à l'intérieur de l'AJ.

■ Chaque usager doit se servir lui-même. La vaisselle doit être obligatoirement rincée par les usagers.

■ Il est recommandé aux usagers de déposer les objets de valeur au bureau des PA.

■ Le jour du départ, il faut laisser les dortoirs nettoyés pour 10.00h du matin. On ne peut pas partir avant 7.00 h du matin.

Écrivez les renseignements qui manquent. Écrivez **en français.**

Exemple: Permis nécessaire pour rester dans une auberge de jeunesse:
une carte/une carte d'hébergement/une carte valable

1 Limite des heures où on peut rentrer le soir en hiver: [1]

2 À qui faut-il donner la carte en s'inscrivant? [1]

3 Type de sac de couchage: [2]

4 Interdit dans les dortoirs [2 règlements]: [2]

5 Interdit dans l'auberge [3 règlements]: [3]

6 Permis dans l'auberge: [1]

7 À laisser au bureau: [1]

8 Heure, le plus tôt le matin, où on peut partir: [1] [12 marks]

Adapted from SEG material

21 The wider world

- To save time, read each statement (e.g. *On n'est pas vraiment content*) and make sure you understand it.
- Then read quickly through the text to find out who said it.
- Note that Statements 1a and 1b both have [2] next to them. This tells you that there are two people who said that, so continue until you find both of them. The [3] with Number 2 indicates that you need to find at least three pieces of information to gain full marks.
- You can easily work out, in Statement d, what *esprit* means: many words which, in French, begin with *es-* begin, in English, without the 'e' (e.g. *espace* = space; *esclave* = slave; *estomac* = stomach). So, what do you think that *l'esprit humain* means?

  Réponse: the human spirit

- In the same way, many words which begin with *é-* in French, begin with 's-' in English (e.g. *éponge* = sponge; *épine* = spine; *école* = school).

Lis le texte et réponds aux questions.

1 Qui dit quoi? Écris le prénom de la personne ou des personnes.

a On n'est pas vraiment content. [2]

b Les gens sont trop sérieux aujourd'hui. [2]

c C'est chacun pour soi de nos jours. [1]

d Il est impossible de changer l'esprit humain. [1]

2 Pour Stéphanie, la tolérance est très importante. Pourquoi? [3]

[9 marks]

LES GRANDS DÉBATS D'OKAPI

QUE MANQUE-T-IL À NOTRE SOCIÉTÉ?

Dans chaque numéro, l'un de vous pose une question. Des lecteurs répondent et donnent leur avis. La question d'aujourd'hui a été posée par Monique, de Naters (Suisse):

"J'aimerais poser une question à vous, les garçons et les filles qui lisez Okapi. Je pense que nos sociétés riches dans lesquelles nous vivons manquent de quelque chose. Quel est, selon vous, le plus grand manque dont souffre notre société occidentale?"

"BÉRANGÈRE"

Paris

Moi, je trouve que la société devrait être plus sympa, plus drôle: j'en ai marre que les hommes politiques ne rient jamais. Je sais que la politique, c'est du sérieux, mais quand je les regarde, ça me donne envie de pleurer.

"JULIETTE"

Niamey (Niger)

Le plus grand manque dont souffre notre société occidentale, c'est tout simplement le sourire. En Europe, nous ne souffrons ni de guerres, ni d'horreurs. Nous avons tout pour être heureux. Mais beaucoup de gens, dans leur vie de tous les jours, sont renfrognés. Il faut penser à la chance que nous avons! Et puis, on manque de jeunesse et de dynamisme.

"STÉPHANIE"

Perpignan

Tu sais, Monique, dans notre société, si riche qu'elle soit, ce qui manque le plus, à mon avis, c'est la tolérance. Si les gens étaient plus tolérants, ils se comprendraient mieux, se connaîtraient mieux: le racisme, quel qu'il soit, disparaîtrait. Il n'y aurait plus de guerre, plus d'injustice; mais l'homme n'a jamais été, n'est pas, et ne sera jamais d'un naturel tolérant et compréhensif.

"SERGE"

Thoiry

Pour moi, Monique, ce qui nous manque, c'est la vraie joie. Je veux dire que nous n'avons pas l'espoir de voir le «luxe», la «richesse», car nous l'avons déjà. Nous n'avons pas de grands espoirs comme dans d'autres pays.

"ANNE"

La Tour-de-Peilz (Suisse)

Monique, je crois que ce qui manque dans la société, c'est un peu d'humour. Les gens de maintenant sont trop snobs et gonflés. On manque un peu d'humour et de modestie. Si tout le monde était souriant, marrant et modeste, le monde serait mieux.

"EMMANUELLE"

Paris

Monique, ta question est super. C'est vrai, notre société manque vraiment de quelque chose. Moi je crois que c'est la solidarité et l'amitié. Maintenant, si on parle à quelqu'un d'inconnu, il nous répond avec mépris, sans chaleur. Nathalie Baye disait dans les Restaurants du Coeur: «Autrefois, on gardait toujours une place assise, une soupe, un lit, un coin dans l'étable. Aujourd'hui, nos paupières et nos portes sont closes ...»

Je trouve que ces phrases expliquent un peu tout. Il faudrait que chacun de nous soit solidaire, sympa. Ce ne serait qu'une goutte dans l'océan, mais une goutte, plus une goutte, plus une goutte ....

How to prepare for your writing exam

It is very important for you to find out exactly what you need to know, understand and do in your GCSE exams.

As you work through this section, you will learn how to write answers to all the sorts of questions put by the Exam Boards. You will find out what the examiners are looking for and exactly how to score the highest marks.

- The first thing to learn is what you need to be able to do in your writing exam to earn a Grade C. This is what you have to show the examiners you can do:
  - **Express personal opinions** and **write about a variety of topics, including past, present and future events**. You will need to **write simple formal letters** or **personal messages**.
- And this is what you have to do to earn a Grade A in writing:
  - **Give factual information, narrate events and express and justify ideas and points of view.**
  - **Write longer sentences** and use a range of vocabulary, structure and time references.
  - Your **spelling and grammar** should be **generally accurate** and **the style appropriate to the purpose.**

Try to keep these in mind as you work on this section and every time you write any French. The more you do this, and the more you write, the better you will become.

Now you can learn how to convince the examiners who mark your writing that you can do what they want you to do.

1 When you open your exam paper, always spend a few minutes calmly reading the questions. There is often some useful advice with the questions – learn how to take full advantage of this. Above all, make sure that you understand the questions and know what each question is asking you to do. This book will teach you the language you will meet in most questions. However, if you come across a word you don't know, look it up in the dictionary. You must do exactly what the question tells you and you must do all the tasks set: if you don't, you will lose a lot of marks.

2 Before you write your answer, spend a few minutes planning what you will write. Most questions make it very clear what you should write but, to get the best possible marks, you should:

   a) plan where you can express a personal opinion;

b) plan where to refer to past, present and future;

c) plan where you can use the French which you have learnt for the exam and which you are sure you can write correctly;

d) for longer pieces of writing, include in your plan the first sentence of each paragraph and the key words and phrases you plan to use.

Remember: you need careful planning to get the best marks.

How this section can help you

This section shows you how to write what the examiners want to see. It prepares you for the sorts of questions which will come up in your exam and teaches the language of the topics which you will be asked to write about. Work through it carefully and follow the advice given.

When your teacher has corrected what you write, make quite sure that you understand where you went wrong: this is how to avoid making the same mistakes again. Then write a perfect copy – one with no mistakes at all – and try to learn it by heart. Keep all these perfect copies together in a folder and use them for revision before the exam.

In your exam, you will do the best you can if you have learnt by heart how to write some excellent sentences and paragraphs on the topics which come up. You can use these in the exam and enjoy a feeling of confidence and success.

Remember, too, that the French you learn for your writing exam can often be used in your speaking exam, and that what you have learnt to say you can also often write.

Timing is very important in an exam. As you work through this section of the book, practise using all the time available as efficiently as possible. In the target time, you need to plan, write and correct. Learn to do this. In your exam, look at all the questions you need to answer and see how many marks there are for each. Allocate the time you spend on each question in proportion to the marks.

Using a dictionary

You will be allowed to use a bilingual dictionary in your exam. You need to be very careful about this, however. If you use it too much, you will waste time and not finish writing your answers – and the key rule to success is to complete all the answers. It is also easy, with the pressure of an exam, to look up the wrong words and to end up writing nonsense.

So, here is some advice about using a dictionary:

1 You must always understand every question. This book will teach you the French used in questions, so be sure to learn this. If, in the exam, a question contains any words you are not sure about, look them up in the dictionary.

2 You have a few minutes to plan every answer. Try to plan how to answer, using the French you have learnt before the exam. However, if you need a few key words which you are not sure about, this is the time to look them up in your dictionary. Do this calmly and check carefully that you have the right words.

3 When you are writing your answer, don't stop to look up any words.

4 If you have time when you have finished, you can use your dictionary to check the spelling of any words you aren't sure about. But only do this after you have finished. It is better to finish and to have a few spelling mistakes than not to finish.

5 It helps to have a clear strategy for checking what you have written. Practise this in the year leading up to the exam so that you get to be good at it. Here is a strategy which works well:

   - Check spellings you aren't sure of, using the dictionary.
   - Check that you have written the correct form of verbs you aren't sure of. You can use your dictionary for this: most of them contain verb tables. Practise finding and using verb tables before the exam!
   - Check the gender of any nouns you aren't sure of, using your dictionary. This will help you to make sure that the following sorts of words are correct: ***le***, ***la***, ***l'***, ***les***; ***un***, ***une***; ***du***, ***de la***, ***de l'***, ***des***.
   - Check that you have the correct form of each adjective you have used. Good dictionaries give the feminine form of unusual adjectives (e.g. ***vieux*** – ***vieille***; ***fou*** – ***folle***).

Follow the above steps, in order, and your writing should earn top grades every time. Good luck … and good writing!

Writing: Part 1

In Part 1, you can learn how to do most of what you need to earn a Grade C:

- **Write about a variety of topics.**
- **Express personal opinions.**
- **Write about past, present and future events.**
- **Write personal letters and messages.**

A Everyday activities

1 School

- Always begin by making sure that you understand the instructions and know what to do. Notice that there are four tasks to do: you must do all four tasks and give them all roughly equal attention. So, for each task, you need to write about 25 words.

- To score well, you must remember to:
  - say something about the past and present;
  - refer to the future;
  - express opinions.

- You need to write 100–120 words. You count as a word anything with a gap before and after it. So, there are four words in this phrase:
  parce / que / c'est / utile.
  And there are also four words in this phrase:
  J'ai / toujours / été / fort.

- Study the model answer and the notes on it which explain why it is a good answer. Then write your own answer by replacing the words underlined in the model with words of your own.

- It would be a good idea to learn your answers by heart after your teacher has corrected them. You could use these answers in your writing or your speaking exam.

Vous répondez à un questionnaire sur les écoles en Angleterre. Répondez en français, en phrases complètes si possible. Écrivez 100–120 mots.

Quelles matières préférez-vous et pourquoi?

Quelles matières n'aimez-vous pas? Pourquoi pas?

Vous portez un uniforme?

Oui – Décrivez l'uniforme.

Non – Qu'est-ce que vous portez à l'école d'habitude?

Vous êtes pour ou contre l'uniforme? Pourquoi (pas)?

Model answer

Mes matières préférées sont l'anglais **(parce que c'est facile)**[1] et les maths **(parce que c'est utile)**[2]. **J'ai toujours été fort(e)**[3] **en maths.**[4]

Je n'ai jamais aimé l'histoire.[5] À mon avis, ce n'est pas utile et c'est difficile. Et je n'aime pas les sciences. Je n'ai jamais été fort(e) en sciences.

Je porte un uniforme pour aller au collège. Je porte une veste **bleue,** une chemise **blanche** et une cravate **rouge et jaune.** Nous portons aussi un pantalon **gris** (une jupe **grise**[6]).

Je suis contre l'uniforme. **Après le collège, je ne vais jamais porter un autre uniforme.**[7] Les uniformes sont bêtes et notre uniforme est très laid.

1, 2 Good marks for opinions.

3 Remember: write *fort* if you are a boy and *forte* if you are a girl.

4, 5 Two excellent references to the past. Worth learning by heart as you can often use them by changing the last word.

6 Good use of colour words in this paragraph. It's worth learning this description by heart as you can often describe your uniform in the exam.

7 Here is the necessary reference to the future and another sentence which you can change to use often when you write: *Après le … , je ne vais jamais …* (After the …, I will never …).

2 Home life

- Before you write anything, make sure that you know exactly what to do. Use a dictionary if you need to check any words in the instructions.
- When you write your postcard, use as much as you can of the French given to you in the instructions. Your only problem is to say what you have to say in only about 30 words. So keep to the bare essentials and don't worry if you write more.
- When you have finished, use any time you have left to check your work. For example, check any words you are not sure about in the dictionary. The main thing is to **complete all the tasks:** say where your *gîte* is, describe it and say what you do.
- Then study the model answer and the notes on it. To help you to learn this useful language, re-write the model, replacing all the words underlined with words of your own to describe another, imaginary *gîte*. (Solution: page 123).

Vous écrivez une carte postale. Vous êtes en vacances dans le gîte "Les Épis". Parlez du **gîte** (**situation et description**) et de vos **activités**. Écrivez 30 mots environ.

Nom du gîte:	Les Épis
Adresse:	route de Dinard, 53250 GORVELLO
Situation:	à 2 km de Gorvello (Bretagne)
	SNCF (4 km) (4 km) (1km)
Description:	3 ch., cuis., s à m, sdb., gd jardin
Activités:	plage (5 km)

Model answer

Je suis en vacances dans un gîte à 2 km. de Gorvello (Bretagne).

Il y a 3 chambres, une cuisine, une salle à manger, une salle de bains et un grand jardin. **C'est super!**[1]

J'ai joué au football, **j'ai nagé**[2] et j'ai joué sur la plage (à 5 km.). **Demain je vais à la pêche**[3] (à 4 km.).

Most of this re-uses language from the instructions: that's fine and will score good marks.

The abbreviations in the instructions tell you exactly what to write – and you can use a dictionary if you need to check any words.

1 Learn this opinion, as you can use it often.

2 Excellent marks for referring to the past.

3 Excellent marks too for the reference to the future.

3 Food

- This is an easy question. You have plenty of time to look up in a dictionary any words you don't know.
- Remember to produce a sensible list: what you need to eat and drink on a family picnic, including the quantities. Show off what you know and use as many different words as you can.
- Notice that the example says *deux baguettes*. Normally you can use numerals (e.g. 2,1,8) but the example suggests that this time the examiner wants you to write the words (e.g. *deux, un(e), huit*).
- Write your answer to the question and then study the model below. Which is better, your answer or the model? Why?
- Try to learn the list by heart. To help you do this, make up as many variations as you can of quantities and things to eat or drink, e.g.
  une bouteille de coca-cola
  un kilo de tomates
  une livre de pommes
  When you are confident that you know the list, write your answer to the follow-up question (Number 4).

Vous allez faire un pique-nique avec votre famille. Écrivez en français une liste d'au moins six choses que vous allez acheter pour manger et pour boire. Mentionnez les quantités. (Écrivez 30 mots environ.)

Exemple: deux baguettes

This scores full marks:

- It contains an excellent variety of quantities (*bouteille de*, *boîte de*, *tranche de*, etc.).
- It uses *de* after the expressions of quantity (*kilo de*, *paquet de*, *livre de*, etc.).
- It anticipates that some things may not be available and offers a choice (*pains ou baguettes*, *Camembert ou Brie*).

Model answer

une bouteille de limonade
trois boîtes de coca-cola
deux pains ou quatre baguettes
un pot de pâté
huit tranches de jambon
500 grammes de fromage (Camembert ou Brie)
une livre de tomates
un kilo de pommes
un paquet de biscuits

4 Food

You are going on a picnic with some French friends. Write a shopping list in FRENCH of THREE things to eat and ONE drink to take on the picnic.

(Solution: page 123)

B Personal and social life

5 Self, family and friends

- Make sure, as always, that you understand and answer every question. The easiest way to lose marks is to omit an answer to a question!
- The answers can be short and simple: you don't need to write full sentences.
- Study the model answer opposite. Then answer all the questions for yourself, with your own name, interests, etc. When your teacher has corrected this, learn it by heart. To help, cover your answers with a piece of paper and write them all on this paper. Then check with the corrected answers. When you can do that perfectly, answer the follow-up question (Number 6).

Tu cherches un(e) correspondant(e) français(e)?

Remplis ce questionnaire.

AGENCE FRANCO-BRITANNIQUE

Nom: …
Prénom: …
Nationalité: …
Sport préféré: …
Autres passe-temps:… (i) …
(ii) …
Animal préféré: …
Couleur préférée: …
Plat préféré: …
Boisson préférée: …
Matières préférées à l'école: (i) …
(ii) …

A few points to notice:

- It is ***la nationalité***, so you write ***anglaise*** (or ***écossaise***, ***galloise***, ***irlandaise***) whether you are a boy or a girl. Or you could write ***britannique***.
- For the sport, etc. it is best to write ***le football*** and not just ***football***: don't forget ***le***, ***la***, ***l'***, ***les***.

Model answer

AGENCE FRANCO-BRITANNIQUE

Nom:	Smith
Prénom:	John
Nationalité:	anglaise
Sport préféré:	le football
Autres passe-temps:	(i) la natation
	(ii) regarder la télévision
Animal préféré:	le chien
Couleur préférée:	le vert
Plat préféré:	les frites
Boisson préférée:	le coca-cola
Matières préférées à l'école:	(i) le français
	(ii) l'EPS

6 Self, family and friends

Remplissez ce formulaire EN FRANÇAIS avec vos détails personnels.

Demande pour Correspondant/e Français/e

À REMPLIR EN FRANÇAIS

NOM ET PRÉNOM: ...

NATIONALITÉ: ...

ÂGE: ...

DATE DE NAISSANCE: le ... 19 ...

COULEUR DES CHEVEUX: ...

COULEUR DES YEUX: ...

FAMILLE (FRÈRES ET SOEURS): ...

SPORT PRÉFÉRÉ: ...

AUTRES INTÉRÊTS: (i) ...

(ii) ...

MATIÈRE FAVORITE À L'ÉCOLE: ...

(Solution: page 123)

7 Free time, holidays and special occasions

- Always take the time you need to read the question very carefully and to be sure that you know exactly what to do.
- Be absolutely sure to carry out all the five tasks you are set.
- In your answers, use as many of the words as you can which are given in the instructions. Keep your answers short and simple.
- Study the model answer and the notes explaining why it is a good answer. Then write your own answers to the five questions.
- When your teacher has marked your answers, learn them by heart. You will find them useful in your writing and your speaking exams. Then write your answers to the follow-up question (Number 8).

You are doing an exchange with a French student, who has sent you this programme of what you are going to do during your stay IN FRANCE.

JOUR, DATE, MOIS	ACTIVITÉS
samedi, 6 mars	libre
dimanche, 7 mars	journée à Paris
lundi, 8 mars	école
mardi, 9 mars	école.

Préparez un programme EN FRANÇAIS pour sa visite EN ANGLETERRE, mercredi 9 juin – samedi 12 juin.

1. Écrivez les jours de la semaine, la date et le mois.
2. Proposez une activité différente pour chaque jour. VOUS **N'**ÊTES **PAS** À L'ÉCOLE.
3. Donnez 3 détails sur votre famille.
4. Donnez 3 détails sur votre maison.
5. Décrivez le temps en juin en Angleterre.

1 **JOUR, DATE, MOIS**	2 **ACTIVITÉS**

AUTRES DÉTAILS:

3 Famille:

4 Maison:

5 Le temps:

Model answer

1 As usual, it is quite acceptable here to write numbers (e.g. 9) and not the words (e.g. *neuf*).

2 One activity is given to you in the question: just replace Paris by any other town. For the other activities, write any that you know the French for. You can steer this the way you want it and write whatever you have learnt.

3 You are asked to give three details and this answer gives four: brother and age and sister and age. This is fine: you must not do less than you are told, but you can do more.

4 Give any three details you wish: you are in control and can write what you know.

5 An excellent reply given here. You say what the weather is like usually (***d'habitude***) and what they forecast (***on prévoit***) this year. And you add a personal opinion.

1 **JOUR, DATE, MOIS**	2 **ACTIVITÉS**
mercredi, 9 juin	journée à Londres
jeudi, 10 juin	natation
vendredi, 11 juin	discothèque
samedi, 12 juin	match de football

AUTRES DÉTAILS:

3 Famille: J'ai un frère (18 ans) et une soeur (15 ans).

4 Maison: Nous avons 4 chambres et un grand jardin. Le centre-ville est tout près.

5 Le temps: D'habitude, il fait beau en juin. Mais cette année, on prévoit de la pluie. Dommage!

8 Free time, holidays and special occasions

Organisez votre visite en France!

Écrivez, **en français**, UNE ACTIVITÉ DIFFÉRENTE, pour chaque jour de votre visite.

	JOUR	ACTIVITÉ
Exemple:	dimanche	je voudrais voir mes amis
Exemple:	lundi	je voudrais aller à la piscine
	mardi	....
	mercredi	....
	jeudi	....
	vendredi	....
	samedi	....

(Solution: page 123)

C The world around us

9 Home town, local environment and customs

- Remember always to give yourself time to read the question carefully before you write anything.
- In your answers, use anything you can from the question. You can also use any activities that you know the French for.
- Study the model answers and then write five different answers of your own. Try to use at least three different verbs after *On peut*.
- When your teacher has corrected your work, write out a perfect copy, then learn it and keep it for revision before the exam. To help you to learn it, you could write the sentences, leaving gaps for two words. Then look again at the complete sentences and try to learn them. Complete your gaps and compare what you have written with the original. Keep on doing this until you get them all right.

Qu'est-ce qu'il y a à faire dans ton village ou ta ville?

Remplis cette fiche.

Exemple:

(i) On peut aller à la piscine
(ii) ....
(iii) ....
(iv) ....
(v) ....
(vi) ....

Model answers

On peut visiter le château.
On peut aller au café.
On peut voir un film.
On peut jouer dans le parc.
On peut faire les magasins.

You could use *aller* or *visiter* in every sentence, e.g.

- *On peut aller au stade* (*à la cathédrale, au château, au parc*).
- *On peut visiter la ville* (*le musée, l'église, l'hôtel de ville, la cathédrale*).

However, it will impress the examiner more if you use some other verbs (e.g. *jouer, faire, voir*).

E The international world

10 Tourism

- Remember to give yourself time to read the question carefully and to plan what you will write.
- The pictures suggest some **example** answers. You can base what you write on them or you can write about something else: do whatever you find easier as this will gain you the best marks. This is your chance to write what you know you can write correctly.
- Study the model answer and the notes on it. To help you to learn it, write the postcard again, changing the words which are underlined. Then write your answer to the follow-up question (Number 11).

Vous êtes en vacances en Grande-Bretagne. Vous écrivez une carte postale à un(e) ami(e) français(e).

Écrivez 40 mots en français. Mentionnez:

Exemples

- **où** vous êtes

- **avec qui** vous êtes

- où vous **logez**

– **le temps** qu'il fait

– vos **activités**

Adapted from MEG material

1. A good start, referring to the present.
2. Reference to the past, saying what the weather was like yesterday. You will score very highly for this.
3. More high marks for saying what you did this morning and what you thought about it.
4. Reference to the future.
5. Opinion.

Model answer

Je suis au bord de la mer.[1] Je suis en vacances avec mes parents. Nous sommes dans un grand hôtel. **Hier, il a fait mauvais**[2] mais aujourd'hui il fait beau. **Ce matin, j'ai acheté des souvenirs.**[3] **C'était bien. Ce soir, je vais à la disco.**[4] **Ça va être super!**[5]

11 Tourism

Tu as passé quatre jours chez ta correspondante.

Voici tes notes de ce que tu as fait.

JEUDI	*Voyage* *arrivée chez Suzy à 5h*
VENDREDI	*à la maison – soir cinéma*
SAMEDI	*shopping en ville soir –* *Maison des Jeunes*
DIMANCHE	*départ*

Écris un article (environ 70 mots) sur ta visite. Raconte les choses que tu as faites et tes impressions de ton séjour.

(Solution: page 123)

Writing: Part 2

In Part 2, you can learn how to do everything you need to earn a Grade C:

- **Write about a variety of topics.**
- **Express personal opinions.**
- **Write about past, present and future events.**
- **Write personal letters.**
- **Write simple formal letters.**
- **Convey a clear message**, even if there are some errors.

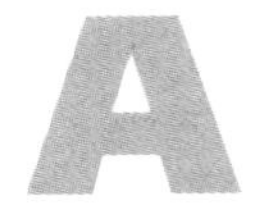

Everyday activities

1 School

- First make sure that you fully understand the question, using a dictionary if necessary. As always, plan how you will introduce opinions and references to **past**, **present** and **future**.
- Begin by writing the first sentence of each paragraph, e.g.
  i) *Le collège où je vais est super.*
  ii) *À midi, pendant la pause-déjeuner, j'aime bavarder ...*
  iii) *J'aime beaucoup mon prof d'anglais parce qu'il ...*
  iv) *Comme tous les collèges, mon collège a des règlements.*
  v) *Après avoir quitté le collège, j'espère travailler dans ...*
  Then write the key words for each paragraph, e.g. *j'étudie ... matières préférées ... j'aime moins ... parce que ... je n'ai jamais été fort en ...*
  Then write your article.
- Now look at the model answer overleaf and see why it is so good. Then re-write it and change the words underlined to express your own ideas. When your teacher has corrected your work, write out a perfect copy and learn it by heart. Then answer the follow-up question (Number 2).

Comment est ton collège – super, moyen, nul?

Écris un article sur

i) les matières que tu étudies le anglais, les science, l'histoire.

ii) ce que tu fais pendant la pause-déjeuner

iii) les profs que tu aimes et que tu n'aimes pas et pourquoi

iv) les règlements de l'école (par exemple l'uniforme scolaire) et tes opinions

v) ce que tu vas faire après avoir quitté le collège.

Model answer

1. Don't forget to answer the opening question!
2. A good place to express an opinion and to justify it: *j'aime moins* is a good expression for opinions.
3. Always look out for the chance to say *par exemple* and then refer to the past and the future. This will earn very good marks.
4. Remember to try to use *parce que* to justify an opinion in everything you write.
5. More good opinions in this paragraph, with good explanations. It is important to mention a rule which you are happy with and one with which you are unhappy, and to say why.
6. A good start to this paragraph, simply by taking a phrase from the question.
7. You can often use *j'espère* to refer to the future.

Le collège où je vais est super![1] J'étudie beaucoup de matières. Voici mes matières préférées: français, anglais, informatique et histoire. **J'aime moins les maths et les sciences parce que je n'ai jamais été fort en ces matières.**[2]

À midi, pendant la pause-déjeuner, j'aime bavarder avec mes copains et faire du sport. Hier, **par exemple,**[3] j'ai joué au football. Et demain, je vais jouer au tennis.

J'aime beaucoup mon prof d'anglais parce qu'il m'écoute en classe. J'aime aussi mon prof de français parce qu'elle me donne de bonnes notes. Je n'aime pas beaucoup mon prof de maths **parce qu'**[4] il est ennuyeux.

Comme tous les collèges, mon collège a des règlements. Par exemple, l'uniforme est obligatoire. À mon avis, c'est une bonne chose. Le matin, quand je m'habille, je n'ai pas de décision à faire! C'est facile et j'aime bien ça. Mais je n'aime pas le règlement qui m'oblige à laisser mon anorak dans les vestiaires parce qu'il fait souvent froid en classe, en hiver.[5]

Après avoir quitté le collège,[6] **j'espère**[7] travailler dans une banque, si j'ai de bons résultats dans mes examens. J'aime travailler avec les gens et l'argent m'intéresse!

2 School

Salut,

Je suis ton nouveau correspondant français. Mon professeur m'a donné ton adresse.

À l'école, ça va assez bien. J'aime bien l'anglais et l'histoire mais il y a des matières que je n'aime pas du tout comme les maths. Et toi? Quelles sont les matières que tu aimes et que tu n'aimes pas, et pourquoi?

Quand je quitterai l'école, je voudrais travailler pour la radio ou la télévision. Qu'est-ce que tu feras dans l'avenir, toi?

Amicalement,

Luc

(Solution: page 123)

Adapted from MEG material

3 Food

- Be careful with this letter! Madame Martinez uses *tu* when writing to you, but you must use *vous* when you write to her as she is an adult.

- Referring to the present and future, and expressing opinions, will be easy. Don't forget to find a way of referring to the past, too.

- It's always useful to be able to write about food, and the topic often comes up in exams. To learn how to do this, adapt the model letter overleaf by replacing all the words underlined to say what **you** like. Then learn by heart the corrected version of your letter. To help you to do this, you could place a wooden ruler across it at any angle, to cover up parts of it. When you can write correctly everything that is covered up, move the ruler to cover up other parts and do it again.

You are going to Paris to stay with your pen-friend, Nathalie. In her last letter she includes this note from her mother.

Écrivez, **en français,** une réponse à Madame Martinez.

Parlez:

- de votre petit déjeuner;
- des choses que vous aimez manger et boire;
- de deux activités préférées pour votre séjour;
- donnez l'heure et la date de votre arrivée.

Demandez:

- son numéro de téléphone;
- où est-ce qu'elle habite maintenant.

J'attends ta visite avec impatience mais j'ai encore certaines choses à te demander.

D'abord Nathalie m'a dit qu'on mange beaucoup en Angleterre au petit déjeuner. C'est vrai? Et quels sont tes plats préférés?

Et ensuite, qu'est-ce que tu veux faire pendant ton séjour? Enfin, quand vas-tu arriver à la gare du Nord?

Amicalement.
Danielle Martinez
(la maman de Nathalie)

Model answer

1 If you were writing to your penfriend's father, you would begin *Cher Monsieur*.

2 Always say thank you for a letter you have received. You should learn by heart: ***Merci beaucoup pour votre/ta lettre***.

3 Always look out for the chance to say ***par exemple*** and to refer to the past or the future.

4 Your list of things you like need not be too long: three or four items will be enough.

5 Remember always to justify an opinion, if you can, to earn full marks.

6 This paragraph earns high marks for referring to the future. The sentence ***J'espère que cela sera possible*** can be used in most letters and is worth learning by heart.

7 Another good reference to the future. It's worth learning and using this phrase as often as possible: ***pourriez-vous m'envoyer/me dire?***

(Votre adresse)
Manchester, le quatorze mai

Chère Madame,[1]

Merci beaucoup pour votre lettre.[2]

C'est vrai qu'on mange normalement beaucoup en Angleterre, au petit déjeuner. Mais moi, je ne suis pas normal et je mange peu! **Par exemple,**[3] ce matin j'ai mangé seulement un morceau de pain grillé avec de la confiture et j'ai bu un verre de lait froid.

Pour les autre repas, j'aime manger **du poulet, du poisson, des frites et des petits pois.**[4] **Tout ça, c'est délicieux!**[5] Je n'aime pas manger de viande et je suis allergique aux oeufs. J'aime boire du lait et de l'eau minérale, mais je n'aime pas les boissons chaudes.

Pendant mon séjour, je voudrais bien visiter un peu la région et j'espère aussi rencontrer beaucoup de jeunes français. **J'espère que cela sera possible.**[6]

J'arriverai à Paris à 14 heures 35, le trois août, si mon train est à l'heure.

Avant mon départ, **pourriez-vous m'envoyer**[7] votre numéro de téléphone? Pourriez-vous aussi me dire exactement où vous habitez maintenant? Merci d'avance.

Amicalement,

(Votre prénom)

B Personal and social life

4 Free time, holidays and special occasions

- Whenever you write a reply to a letter, read the letter carefully. The main thing is to find all the questions in it which you must answer. Make very sure you don't miss any as this would badly affect your marks. In the exam, it's a good idea to underline all the questions and to tick them off as you answer them.
- You must also be sure that you understand all the questions. Use a dictionary for this if you need to.
- You should not need to look up any words to write your answer. Most of the key words you need are already in the letter you have to answer: *j'ai, à l'école, j'aime bien, matières, le week-end dernier, juillet, possible*. Use these in your plan and in your answer.
- This topic is a very common one for exam letters. Study the model answer overleaf, replace the words underlined – and any other words you would like to change – and write about your pet(s), your school subjects, your last weekend and your holiday plans.
- When your teacher has corrected your letter, make a perfect copy and learn it by heart. You will almost certainly be able to use this language in your writing or speaking exam.
- To help you to learn your letter, try this technique: write one or two key words from each sentence (the sorts of words you would write when planning a letter) and then, using only these, try to write the complete letter. Compare your new letter with the original and carry on until you produce a perfect copy.

Vous avez reçu une lettre de votre correspondante française, Séverine.

Lisez sa lettre, puis écrivez une réponse EN FRANÇAIS.
Répondez à toutes ses questions. **Écrivez 100 mots.**

Toulouse, le 3 mai

Salut!

C'est Séverine, ton amie française! Je vais très bien. Tu vas bien aussi, j'espère.

Tu sais, j'ai un petit lapin maintenant! C'est maman qui me l'a donné comme cadeau d'anniversaire. Il est tout blanc et il est mignon! Est-ce que tu as des animaux domestiques? Comment sont-ils?

À l'école, ça va assez bien. J'aime bien l'anglais et l'histoire mais il y a des matières que je n'aime pas du tout comme les maths. Et toi? Quelles sont les matières que tu aimes et que tu n'aimes pas – et pourquoi?

J'ai passé un week-end superbe, le week-end dernier. Je suis allée à une boum chez mon amie Marie-Line. J'ai dansé et je me suis bien amusée. Qu'est-ce que tu as fait le week-end dernier?

Pendant les vacances d'été cette année je vais aller au bord de la mer. Mais je resterai à la maison au mois de juillet. Qu'est-ce que tu vas faire pendant les vacances? Est-ce que tu voudrais venir chez moi pour une semaine en juillet? J'espère que ce sera possible.

Écris-moi vite pour répondre à toutes mes questions!

Amicalement,

Séverine

Adapted from MEG material

Model answer

1 If you haven't got a pet you could write: *Malheureusement, je n'ai pas d'animal à la maison. Mais je voudrais bien avoir un petit chat parce que j'aime beaucoup les chats. Et toi?*

2 Remember always to justify or explain your opinions. This gets you maximum marks. Try to use *parce que* in everything you write, at least once.

3 Remember the phrase *le week-end dernier*: excellent for introducing references to the past.

4, 5, 6 Some excellent references to the past, with examples of all three types of verbs: *je me suis*, *j'ai* and *je suis*. Full marks for this.

7, 8, 9 Good references to the future in this paragraph. *J'aimerais bien* is easy to learn and will attract high marks.

Cardiff, le premier juin

Chère Séverine,

Merci beaucoup pour ta lettre.

Moi, j'ai un gros chien[1] qui s'appelle Chester. Il est noir et il est bête, mais je l'aime bien.

À l'école, j'aime la géographie et les sciences **parce que j'ai toujours été fort(e) en ces matières.**[2] Je n'aime pas la musique parce que c'est ennuyeux et inutile.

Le week-end dernier,[3] **je me suis ennuyé(e).**[4] Avec les examens, **j'ai dû**[5] passer tout mon temps à travailler. **Je suis resté(e)**[6] dans ma chambre et j'ai révisé.

J'aimerais bien[7] venir chez toi en juillet mais ce n'est pas possible car **je dois faire**[8] un stage en entreprise. Et en août **je serai**[9] en Écosse, avec mes parents. Dommage!

Amitiés,

(Votre prénom)

C The world around us

5 Home town, local environment and customs

- Remember to answer **only** the questions asked and to answer **all** of them. You don't have time to write about other things, but you must answer all the questions.
- You can use quite a lot of words and phrases from the letter you are answering. So, make quite sure that you understand the letter and use a dictionary to do so, if you need to.
- Before you write your answer, study the model answer and the notes. Use any phrases from the model which you like and which are true for your town or you.
- When your teacher has corrected your answer, write out a perfect copy. To help you to learn the letter, write a plan for it: write the first sentence of each paragraph and the key words for the rest. Then use your plan to write the letter in full. Compare this with the original and write in full any corrections.

Vous avez reçu une lettre de votre nouveau correspondant français, Luc.

Lisez sa lettre, puis écrivez une réponse **en français**.
Répondez à toutes les questions. **Écrivez 100 mots**.

Lyon, le 18 mars

Salut!

Je suis ton nouveau correspondant français. Mon professeur m'a donné ton adresse.

Je m'appelle Luc et j'ai quinze ans. Dans ma famille nous sommes cinq (j'ai une soeur). Il y a combien de personnes dans ta famille et combien de frères et de soeurs as-tu?

J'habite à Lyon. C'est une très grande ville et ce n'est pas loin de la Suisse. J'aime bien Lyon. Et toi, comment est ta ville? Qu'est-ce qu'il y a à faire dans ta ville?

J'adore lire. Je lis des romans, des bandes dessinées, des magazines, tout! Qu'est-ce que tu aimes faire, toi? Quel est ton passe-temps favori?

J'aime bien voyager avec ma famille. L'année dernière, au mois d'août, on est allé au Portugal. C'était très bien, mais il a fait si chaud! Qu'est-ce que tu as fait pendant les grandes vacances l'an dernier?

L'école, c'est pas mal. Quand je quitterai l'école je voudrais travailler pour la radio ou la télévision. Qu'est-ce que tu feras plus tard, toi?

Je dois terminer ma lettre maintenant. Écris-moi vite et réponds à toutes mes questions!

Bien amicalement,

Luc

Adapted from MEG material

Model answer

1. This is how to say you are an only child. If you have brothers and sisters you can use the words in Luc's letter, e.g. ***J'ai deux frères mais je n'ai pas de soeurs.***
2. Good references to the present.
3. An opinion introduced by a very useful phrase: ***à mon avis*** (in my opinion).
4. You will always get bonus marks if you say how long you have been doing something, using ***depuis***.
5. Remember to ask a question if you can. This is easy, using ***Et toi?***.
6. Excellent (and easy!) references to the past in this paragraph, introduced by the excellent phrase ***l'an dernier***.
7. A good opinion which is justified.
8. Excellent (and straight from Luc's letter) references to the future.

Bristol, le 2 avril

Cher Luc,

Merci beaucoup pour ta lettre.

Dans ma famille, nous sommes trois: ma mère, mon beau-père et moi. **Je suis enfant unique.**[1]

J'habite à Bristol. C'est une très grande ville[2] dans le sud-ouest de l'Angleterre. **À mon avis,**[3] c'est une belle ville qui se trouve dans une jolie région. On peut visiter les musées, on peut aller au cinéma ou au théâtre et on peut jouer au golf.

Mon passe-temps favori, c'est le golf. Je joue au golf **depuis**[4] quatre ans et je suis assez fort(e). **Et toi, tu aimes le golf?**[5]

L'an dernier,[6] j'ai passé mes grandes vacances en Espagne. C'était super. **Il a fait chaud et j'aime ça.**[7]

Quand je quitterai l'école, je voudrais travailler[8] dans un grand magasin, dans le rayon des sports.

Bien amicalement,

(Votre prénom)

D The world of work

6 Careers and employment

Begin, as usual, by reading the question very carefully. Make sure that you understand everything, using a dictionary if you need to.

Three special notes:

1. You need to write a **formal** letter, so make sure that you begin and end it correctly.
   Begin with: *Madame, Monsieur,*
   End with: *Je vous prie d'agréer, Madame, Monsieur, l'expression de mes sentiments les meilleurs.*
2. There are **nine** tasks. You must be sure to tackle all of them, although one or two sentences for each one will be enough.
3. Choose just **one** company to write to.

Vous voulez perfectionner votre français. On vous propose de travailler dans une de ces compagnies:

1. Agence de voyages 'FRANCE-VOYAGES' (employé(e))
2. AIR-FRANCE (chef)
3. MICHELIN (Mécanicien/Mécanicienne)

FRANCE-VOYAGES

MICHELIN

Écrivez une lettre EN FRANÇAIS à la compagnie de votre choix.

Parlez:

- de vos passe-temps
- de vos qualités personnelles
- de vos études en français
- des emplois que vous avez déjà faits (par exemple le baby-sitting, la distribution des journaux, un petit emploi dans un magasin, un stage en entreprise)
- Dites pourquoi cet emploi vous intéresse
- Dites pour combien de temps vous pourrez travailler

Demandez:

- les heures de travail
- le salaire
- les détails sur les repas

Model answer

1 This is how to begin a job application in response to an advertisement: learn it by heart.

2 This candidate mentions interests which are relevant to the job – a good idea. Very importantly, she gives an example, referring to the past.

3 Good reference to the past.

4 Good reference to the future, using the expression *je voudrais*.

5, 6, 7, 8 Some excellent references to the past.

9 Good reference to the future which also attract marks for expressing, and justifying, a point of view.

10 Another good reference to the future.

11, 12 Two more references to the future, using those familiar expressions: *Pourriez-vous m'envoyer/me dire?*.

13 This is how to end a formal letter. If you don't know it already, you should learn it by heart now.

(Votre adresse ici)
Londres, le 19 juin

France-Voyages

Madame, Monsieur,

Suite à votre annonce, j'ai l'honneur de poser ma candidature pour le poste[1] d'employé(e) dans l'agence de voyages 'France-Voyages'.

J'aime beaucoup voyager et je m'intéresse à la photographie. J'ai déjà visité[2] la France et l'Espagne. J'aime travailler avec les gens et je sais être très patient(e) quand il le faut. **J'étudie le français depuis cinq ans**[3] et j'ai toujours eu de bonnes notes, mais **je voudrais**[4] perfectionner mon français.

J'ai déjà fait[5] un stage en entreprise dans une agence de voyages en Angleterre. **J'y ai travaillé**[6] pendant quinze jours et ce travail **m'a beaucoup plu.**[7] Mes employeurs **étaient**[8] très contents de moi. **Mon ambition c'est de travailler dans une agence de voyages et c'est pour cela que cet emploi m'intéresse tellement.**[9]

Je serai[10] libre pour tout l'été, à partir du premier juillet jusqu'à la fin août.

Pourriez-vous m'envoyer[11] des renseignements sur les heures de travail et le salaire que vous proposez? **Pourriez-vous aussi me dire**[12] si vous offrez des repas?

En attendant votre réponse, **je vous prie d'agréer, Madame, Monsieur, l'expression de mes sentiments les meilleurs.**[13]

(Votre signature)

- The model letter on page 89 has everything the examiners are looking for! It tackles all the tasks set out in the question. It makes good use of words and phrases given in the question and clearly provides the information specified in the question. There are several references to past, present and future. It expresses a point of view and justifies it.
- It would be a very good idea now to adapt the model by changing the words underlined in order to apply for one of the other jobs. You may well have to write a letter like this in your exam, so learn it by heart.
- When you've done that, try the follow-up exam question below. You should find it very easy! You have 30 minutes to plan, write and check it. To plan it, write the first word of each paragraph and then the key expressions you want to use, e.g. *Cet emploi m'intéresse parce que je voudrais perfectionner mon français ... j'ai déjà fait un stage en entreprise ... ce travail m'a beaucoup plu ... mes employeurs étaient très contents ...*

7 Careers and employment

Le **Syndicat d'Initiative** de Blois

Cherche **Employé(e)** temporaire pour la saison estivale, de préférence avec une bonne connaissance de la langue anglaise.

Écrire à Mme Delage, S I, 42100 BLOIS

Camping "Les Pins", à Tours

Cherche **Réceptionniste** pour accueillir les touristes au camping et faire du travail de bureau. Connaissance du traitement de texte et de la langue anglaise un avantage.

Écrire à M Hervé, Camping Les Pins, Boulevard Pasteur, 42000 TOURS

Vous cherchez un petit job en France. Choisissez le job que vous préférez et répondez à la petite annonce. Écrivez une lettre formelle. Écrivez 100-120 mots.

Notez:

- **a** vos détails personnels (âge, date de naissance, situation de famille, etc);
- **b** vos raisons pour cet emploi;
- **c** vos qualités personnelles;
- **d** vos dates;
- **e** posez au moins 3 questions au sujet de cet emploi.

(Solution: page 123)

E The **international world**

8 Accommodation

- Make sure that you fully understand the question and that your letter deals with **all seven** tasks.
- You will need to seek out opportunities to express an opinion and to refer to the past. Do that while you are planning your letter.
- Exams often require you to write a letter to a hotel. If you learn by heart paragraphs 1, 2 and 5 of the model letter overleaf, you will be prepared. To help you learn it, you could adapt it to reserve one single room, with a bathroom or shower, for three nights, from April 13 to 16. You also want to know if breakfast is served in the hotel and the cost of the rooms and breakfast. (Solution: page 124.)

Tu veux réserver deux chambres dans un hôtel à Marseille. **Écris une lettre**. Pose des questions sur

i) le tarif

ii) ce qu'il y a dans les chambres

iii) les repas

iv) le parking

v) les transports en commun à Marseille

vi) les distractions en ville à Marseille

vii) les plages à Marseille

Commence par

Monsieur,

Je voudrais réserver deux chambres

Model answer

1. With a letter, always write, at the top right-hand side, where you are writing from and the date.
2. It is a good idea to say what sort of rooms you want (with bathroom) and the dates you want them for. It is easier for you, and it will impress the examiner, to deal with these two tasks in one sentence. You can do this again with tasks vi) and vii).
3. Excellent reference to the future which will earn a bonus mark.
4. The word ***puisque*** (since) will impress the examiner.
5. Good: this expresses an opinion and justifies it.
6. Excellent reference to the past.
7. Excellent reference to the future.
8. Good reference to the future.
9. Another good reference to the future, using a variation on a familiar expression: *Pourriez-vous enfin m'envoyer … ?* (Finally, could you send me … ?).
10. A very useful phrase for many formal letters and worth learning: *En vous remerciant d'avance …* (Thanking you in advance …).

(Votre adresse)
Coventry, le onze janvier[1]

Monsieur,

Je voudrais réserver deux **chambres pour deux personnes et avec salle de bains dans votre hôtel du quinze au dix-sept février.[2]** Pourriez-vous confirmer cette réservation et m'envoyer le tarif pour deux nuits?

Pourriez-vous[3] aussi m'envoyer des renseignements sur ce qu'il y a dans les chambres et sur les repas qui sont servis dans l'hôtel? **Puisque[4]** nous viendrons en voiture, je voudrais savoir aussi s'il y a un parking à l'hôtel.

Pour visiter Marseille, nous voudrions utiliser les transports en commun **car je sais qu'il est difficile[5]** de conduire dans le centre de Marseille. **Je l'ai déjà essayé[6]** et **je n'oublierai jamais[7]** cela! Pensez-vous que cela **sera[8]** possible?

Pourriez-vous enfin m'envoyer[9] de la documentation sur les distractions à Marseille pendant notre séjour et sur les plages les plus près de l'hôtel?

En vous remerciant d'avance,[10] je vous prie d'agréer, Monsieur, l'expression de mes sentiments les meilleurs.

(Votre signature)

Writing: Part 3

In Part 3, you can learn how to do everything you need to earn a Grade A:

– **Write everything required in Part 2** (see page 79).

– **Give factual information.**

– **Narrate events.**

– **Express and justify ideas and points of view.**

– **Write longer sequences,** using a range of vocabulary, structure and time references.

– **Spelling and grammar** should be **generally accurate** and **the style appropriate to the purpose.**

A Everyday activities

1 School

- As always, read the question carefully and make sure that you really understand it.

- The three tasks make it easy to refer to the present, to express an opinion (a), and to refer to the future (b and c). In your planning, you will need to find a way of referring to the past, at least once, to be sure of scoring highly.

- Begin by studying the model answer overleaf and the notes on it. Get to know the language of the model by adapting it: find as many ways as you can to replace the words which are underlined.

Vous écrivez une lettre à votre correspondant(e) français(e).

Parlez-lui de:

a votre école et de votre opinion de l'école (30 – 40 mots environ);

b ce que vous ferez après les examens de GCSE (30 – 40 mots environ);

c le travail que vous espérez faire un jour (30 – 40 mots environ).

Model answer

1. It's a good idea to begin by saying thank you for the letter and saying what your letter is about, using the phrase ***Tu veux savoir …*** (You want to know …).
2. Words like ***environ*** (about) and ***une cinquantaine de*** (about 50) will earn good marks.
3. A key part of the task, expressing an opinion and justifying it.
4. ***La plupart des*** (Most of) will earn good marks.
5. Another justified opinion.
6. A very useful phrase for referring to the past in almost any letter: ***dont je t'ai déjà parlé*** (about which I've already talked to you).
7. Three excellent references to the future, with good time markers: ***après les examens … puis … et***.
8. Another very good reference to the future.
9. Good use of ***où*** to add an extra phrase to the sentence.
10. Bonus marks here for asking a question – always a good thing to do in a letter to a friend.

Liverpool, le 11 avril

Chère amie,

Merci pour ta lettre. Tu veux savoir comment c'est, mon école.[1]

Je vais à un collège polyvalent mixte. Il y a **environ huit cents élèves et une cinquantaine**[2] de professeurs. Moi, **je trouve que mon collège est bien et presque tous mes copains sont d'accord avec moi, parce que**[3] **la plupart des**[4] professeurs sont gentils.

En ce moment, **la vie est assez dure parce que**[5] nous passons les examens du GCSE **dont je t'ai déjà parlé.**[6] **Après les examens**[7] je ferai un stage en entreprise pendant quinze jours. Puis ce sera les vacances, enfin, et je viendrai te voir en France.

Si j'ai de bonnes notes, **j'irai**[8] l'année prochaine au lycée **où**[9] je préparerai mon bac (on l'appelle ici le 'A-level'). Si je réussis, j'irai à l'université parce que je voudrais être professeur de français. Et toi, **qu'est-ce que tu veux faire dans la vie?**[10]

Amitiés,

(Votre prénom)

2 School

- Remember to spend five or six minutes planning your answer:
  - Plan where to bring in your references to past, present and future.
  - Plan where to express a personal opinion.
- The question helps you by giving the theme of the three paragraphs. Before you start to write, note down the first sentence of each paragraph and the key words you will use, e.g.

  Notre école a beaucoup de règlements!

  liste ... longue ... intelligents ... acceptent ... uniforme ... stupide.
- When your teacher has corrected your work, write a perfect copy and keep it for your exam revision.

Répondez à ce fax de votre lycée partenaire en France.

Chers ami(e)s

Nous faisons une enquête sur le système scolaire anglais. Nous avons besoin de ces informations précisément:

a) Quels sont les règlements de votre école; qu'est-ce que vous en pensez?

b) Comment sont les rapports entre les professeurs et les élèves?

c) À votre avis, comment pourrait-on améliorer votre école?

Écrivez 120 mots environ **minimum** (environ 40 mots par thème).

(Solution: page 124)

3 Home life

- This sort of question is a real gift! It allows you to write about almost anything, so you can write about something which you know you can do well. For example, imagine that you have learnt to write about your house and life at home: you decide that your ideal weekend was spent moving to a new house, as this will allow you to use the language you know.
- It will be easy to refer to the past in this letter. Remember that you must also find ways to refer to the present and the future, and to express and explain an opinion, to be sure of earning top marks.
- Before writing your letter, study the model answer and the notes on it. You could then simply change the words underlined to write your letter, but be more ambitious if you feel confident!
- When your teacher has corrected your letter, make a perfect copy, try to learn it and keep it in a safe place for your exam revision. Then answer the follow-up question (Number 4), using what you have learnt.

Vous avez passé récemment un week-end idéal avec votre famille ou vos amis.

Écrivez une lettre à votre ami(e) français(e) pour raconter ce que vous avez fait pendant ce week-end. Parlez de vos impressions et expliquez pourquoi c'était le week-end idéal.

COMMENCEZ VOTRE LETTRE APRES CETTE INTRODUCTION:

le 25 juin

Merci bien pour ta dernière lettre. Nous allons tous bien, merci. J'espère que tu vas bien, et ta famille aussi.

Adapted from MEG material

Model answer

1. This is given to you in the question but make sure that you copy it correctly.
2. *Je viens de* (I have just) is an excellent reference to the past which will score highly.
3. The essential opinion with a reason, and referring to the present. The use of *tellement* (so) will gain higher marks than would *très*.
4. *J'y ai mis* (I've put there) is worth learning and using whenever you can: it will always attract high marks.
5. Reference to the future, essential for top marks. Notice that useful phrase for introducing the future: *après mes examens*.
6. *Avant de quitter* (before leaving) is another phrase which you can often use to impress examiners.
7. Another good reference to the future.

Leeds, le 25 juin

Cher ami,

Merci bien pour ta dernière lettre. Nous allons tous bien, merci. J'espère que tu vas bien, et ta famille aussi.[1]

Je viens de[2] passer un week-end extraordinaire, un week-end idéal! Nous avons changé de maison et nous sommes maintenant dans une maison plus grande. **Je suis tellement heureux(se) car, pour la première fois de ma vie, je ne partage pas ma chambre.**[3]

J'ai passé tout samedi à nettoyer et à ranger ma chambre. **J'y ai mis**[4] mon lit, une table, une chaise et une armoire. Mon père m'a aidé et, **après mes examens, il va m'aider**[5] à décorer ma chambre. Les murs seront blancs et bleus, et j'aurai des rideaux rouges.

Toute la famille a beaucoup travaillé. Nous avons dû faire le ménage **avant de quitter**[6] notre ancienne maison et encore une fois en arrivant ici. Nous n'avons mangé que des sandwichs car nous n'avions pas le temps de faire la cuisine. Mais nous avons décidé que, **le week-end prochain, nous allons**[7] préparer notre dîner favori: de l'agneau rôti, suivi par une tarte aux pommes.

Alors, voilà, un week-end idéal et une nouvelle maison! Écris-moi vite, mais à ma nouvelle adresse!

Amitiés,

(Votre prénom)

4 Home life

- Spend five or six minutes planning your answer. Remember: past, present, future, opinions.
- Write the first sentence and the key words for each paragraph. Remember that you have the power to write about what you want, so be sure to write about something you have really learnt well in French, e.g.
  Je viens de passer une semaine absolument exceptionnelle. voleurs ... dans notre école ... cassé une fenêtre ... pris ... ordinateurs, etc. ... volé ... avant de quitter.

La semaine dernière, dans votre école, il y a eu un événement exceptionnel. Écrivez une lettre à votre ami(e) français(e) pour lui raconter l'événement. Expliquez ce qui s'est passé et parlez de vos réactions par rapport à l'événement.

(Solution: page 124)

Adapted from MEG material

5 Health and fitness

- It's worth remembering that, although you must always do all the tasks set, you can do them in your own order. Here, it is probably easier to do Task 3 first.
- Before writing your response to the magazine article, study the model and the notes. To help you to learn this language, re-write the model, changing all the words which are underlined. Think of as many ways as you can to replace these words.
- Then write your response. Ask your teacher to correct it, make a perfect copy and keep it safe for revision.
- Finally, write your answer to the follow-up exam question (Number 6).

Vous lisez cet extrait dans un magazine français:

Les frites, c'est mauvais pour la santé !

La viande rouge, c'est mauvais pour la santé !

Le tabac, c'est mauvais pour la santé !

L'alcool, c'est mauvais pour la santé !

Le soleil, c'est mauvais pour la santé !

TOUT CE QUI EST BON EST MAUVAIS POUR LA SANTÉ

Vous êtes d'accord?

Écrivez-nous pour nous donner votre avis

Vous décidez d'écrire au magazine.

Écrivez une courte composition EN FRANÇAIS.

- Parlez de ce que vous mangez et buvez tous les jours.
- À votre avis, est-ce que vous mangez et buvez sainement? Pourquoi (pas)?
- Vous êtes d'accord que ces choses sont mauvaises pour la santé? Pourquoi (pas)?
- Est-ce que vous voulez changer certaines choses dans votre vie, pour être plus en forme? Lesquelles? Pourquoi? Si non, expliquez pourquoi.

Model answer

1 Some good opinions in this paragraph, which are well explained.

2 *Les choses dont vous avez parlé* (the things of which you spoke) is a phrase which you can often use and which will really impress the examiner.

3 An easy and impressive way to introduce an opinion.

4 An excellent way to refer to the past, by saying that yesterday (***hier***) was a typical day and talking about that. You can often use ***j'ai mangé*** and ***j'ai bu*** to gain high marks.

5 Excellent opinions and in the past.

6, 8 This paragraph allows you to make good references to the future.

7 *À cause de* (because of) is an expression which will always impress the examiners.

Je m'excuse mais **je ne suis pas du tout d'accord**[1] avec votre article. C'est vrai que **les choses dont vous avez parlé**[2] (les frites, le tabac, etc.) sont mauvaises pour la santé. Mais ce n'est pas vrai que tout ce qui est bon est mauvais pour la santé. Il y a beaucoup de bonnes choses qui nous font du bien: par exemple, les fruits, les légumes, le lait, le sport et la musique.

Je trouve que[3] je mange et que je bois sainement. **Pour prendre un exemple typique,**[4] hier, au petit déjeuner, j'ai mangé des céréales et j'ai bu du jus d'orange. À midi, j'ai mangé du poulet avec une salade et j'ai bu un verre d'eau. Le soir, j'ai mangé du poisson avec des pommes de terre et des petits pois avec, comme dessert, une poire. Tout cela, **c'était bon et c'était délicieux,**[5] non?

Pour être plus en forme, je sais que **je devrais**[6] faire plus de sport. **À cause des**[7] révisions que je fais pour mes examens, je ne fais pas assez de sport depuis quelques mois. Mais tout de suite après les examens, **je vais faire**[8] une heure de sport par jour.

6 Health and fitness

The question does a lot of the planning for you, but you should still spend five minutes planning:

- Plan where to refer to past, present and future, and where to express opinions.
- Plan what you will write, keep to what you know you can write well and note the key words and expressions, e.g. *faire du sport ... le week-end dernier ... joué au tennis ... piscine ... le week-end prochain ... cinéma ... film français en version originale.*

Vous répondez à un questionnaire sur vos passe-temps. Répondez en français, en phrases complètes si possible.

Quels sont vos passe-temps?

Combien de temps consacrez-vous à vos loisirs et quand?

Qu'est-ce que vous faites pour garder la forme?

(Solution: page 124)

B Personal and social life

7 Free time, holidays and special occasions

Your steps to success:

1. Read the letter and the instructions. Make sure that you understand them and that you know exactly what to do, but don't waste time looking up words which you don't need to look up.
2. Look at each instruction and plan your response. Remember:
   - Keep your letter as simple as possible.
   - Use a dictionary as little as possible.
   - Use as much French as you can from what you have learnt, from the instructions and from the model letter.
3. Remember the key points for getting a good mark:
   - Refer to the past, present and future.
   - Express an opinion and give a reason for it.
   - Cover all the points. In the exam, you can tick each point as you cover it.
4. When you finish, use any time left to check carefully what you have written. Check that:
   - You have done everything you were told to do.
   - You have referred to the past, present and future.
   - You have expressed an opinion and given a reason.

Use your dictionary to check the spelling of any word you're not sure about and to check verbs, genders and adjectives.

Vous avez reçu une lettre de votre correspondant(e) belge.
Voici un extrait de la lettre.

Écrivez une réponse à la lettre.

> Et toi, tu es sportive? Qu'est-ce que tu as fait le week-end passé? Et pendant les vacances, qu'est-ce que tu aimes faire? Tu as assez d'argent pour faire tout ce que tu veux? Moi non! Que fera-t-on quand tu viendras en Belgique au mois de juin?

Parlez:

- de vos passe-temps
- de ce que vous avez fait le week-end passé
- de ce que vous aimez faire pendant les vacances
- de l'argent que vous recevez (Vous le gagnez comment? Est-il suffisant? Qu'est-ce que vous achetez avec?)
- de ce que vous voudriez faire pendant votre visite en Belgique

Demandez:

- les distractions dans sa région
- ses préférences en ce qui concerne la musique
- ses projets pour les grandes vacances

Model answer

1. You can begin most letters like this. If you are writing to a girl, use *Chère amie*.
2. An opinion well justified: *Ça me fait du bien* (It's good for me).
3. Several references to the past, using good expressions: *le week-end dernier*, *samedi soir*, *dimanche*.
4. Another opinion.
5. Reference to the future.
6. Reference to the present.
7. Asking a question usually earns an extra mark.
8. Another reference to the future and with a good expression: *j'aimerais beaucoup*.
9. Question referring to the present.
10. Question referring to the future.

Cher ami,[1]

Merci pour ta lettre intéressante.

Mon passe-temps préféré, c'est la natation. J'aime aussi lire et jouer au tennis. **Ça me fait du bien.**[2]

Le week-end dernier, j'ai été à la piscine. Samedi soir, j'ai regardé la télé et dimanche j'ai révisé.[3] En ce moment, nous passons des examens, alors je révise beaucoup. **C'est dur, mais c'est nécessaire!**[4]

Et ce **sera**[5] bientôt les vacances, heureusement. Pendant les vacances, **j'aime**[6] beaucoup aller à la piscine et jouer au tennis. Et toi, **qu'est-ce que tu aimes faire pendant les vacances?**[7]

Le tennis et la piscine, ça coûte assez cher. Mais je travaille pour gagner un peu d'argent. Tous les soirs, je distribue des journaux. Mes parents me donnent aussi de l'argent de poche. Comme ça, j'ai assez d'argent. J'achète des revues, des cassettes et des bonbons.

Pendant ma visite en Belgique, **j'aimerais beaucoup visiter**[8] la région et rencontrer tes amis.

Qu'est-ce qu'on peut faire dans ta région?[9] Quelle sorte de musique préfères-tu? **Et que vas-tu faire pendant les grandes vacances?**[10]

Amicalement,

(Votre prénom)

- Look again at the model answer and especially at the parts which are underlined. Re-write the letter, changing these parts to talk about yourself.
- When your teacher has corrected your letter, write it out in full, with the corrections, so that you have a perfectly correct letter which is personal to you.
- You may well have to write a letter like this in your exam, so it's worth learning your letter by heart.
- Now try the follow-up question below.

8 Free time, holidays and special occasions

- Spend the first five minutes planning:
  - When to refer to past, present, future.
  - When to express opinions.
  - The key ideas you want to express and the expressions you know and want to use, e.g.
    J'aimerais beaucoup ... café ou supermarché ... difficile ... parents me donnent ... par semaine ... dommage.

Vous répondez à un questionnaire sur l'emploi des jeunes et l'argent de poche. Répondez en français, en phrases complètes si possible.

Vous avez un petit job?

Oui ⇒ S'il vous plaît, donnez des détails:
(quel emploi? jours? salaire?)

Non ⇒ S'il vous plaît, donnez des détails:
(pourquoi pas? argent de poche? combien?)

Que faites-vous de votre argent?

⇒ Vos achats réguliers

⇒ Vous faites des économies?
(pourquoi? pourquoi pas?)

(Solution: page 125)

9 Leisure and entertainment

- Be sure that you fully understand the qurestion: if you're not absolutely sure what *un feuilleton* is look it up.
- You should have no problem in referring to past, present and future, or in expressing and justifying your opinions. You must, however, take care to meet the requirements of the question and to give **at least 10 details** about the *feuilleton*, **using the five headings given**, to get full marks.
- To help you to learn the model answer, you could adapt it and write an article about another TV series you watch. Learn by heart your corrected article.

Tu as un feuilleton préféré? Écris un article en français avec au moins dix détails sur:

- combien de fois par semaine tu regardes ce feuilleton
- pourquoi tu aimes ce feuilleton
- les personnages
- ce qui s'est passé récemment
- ce qui va se passer dans les prochains épisodes, à ton avis.

Model answer

L'un des feuilletons les plus populaires en Grande-Bretagne, **c'est 'EastEnders'.**[1] D'habitude je le regarde trois fois par semaine, le lundi, le mardi et le jeudi. **La semaine dernière je n'ai pas pu le voir en semaine parce que j'avais trop de révisions à faire.**[2] **Alors je l'ai regardé dimanche après-midi quand on a joué les trois épisodes de la semaine.**[3]

J'aime beaucoup ce feuilleton parce que c'est plein d'action et de surprises.[4] On ne sait jamais ce qui va arriver. Il y a un excellent mélange de personnages – intelligents et bêtes, honnêtes et malhonnêtes, travailleurs et paresseux, beaux et laids.

L'action tourne autour d'un pub qui s'appelle La reine Victoria et il y a eu récemment des problèmes dans le pub.[5] À mon avis, **il y aura des changements importants dans les semaines qui viennent.**[6] **Je ne sais pas exactement quels changements mais je pense qu'un personnage qui a quitté le feuilleton il y a quelques années va revenir.**[7]

1. Although you aren't told to, it's a good idea to begin by saying what the series is.
2. An excellent reference to the past and in a sentence containing *parce que*. Both will impress the examiners.
3. Another excellent sentence, containing the mark-earning word *quand* and references to the past.
4. Expresses an opinion and justifies it.
5. A very good and long sentence, with *qui* and *et*.
6. Excellent reference to the future and the very useful phrase *dans les semaines qui viennent*.
7. Another impressively long sentence, using the mark-earning words *qui* and *mais*, with references to the present, past and future in one sentence. Excellent!

C The world around us

10 Home town, local environment and customs

- Be careful! Notice that you are asked to write an **article** and not a letter.
- You should have no trouble expressing an opinion or referring to the present and the future. But remember, as always, to find a way of referring to the past.
- You have to write about 120 words. Anything with a gap before and after it counts as a word. So, *il y a* is three words, as is *il n'y a*. Similarly, *beaucoup d'emplois* counts as two words and *plus de touristes* counts as three words.
- This is another topic which often comes up in the exam, sometimes as an article (as here) and sometimes as a letter. Whether you write an article or a letter, the language is very similar.
- To help you learn it, adapt the model article: turn it into a letter to a friend and talk about your own region. When your teacher has corrected your letter, write out a perfect version and learn it by heart.

Votre lycée partenaire vous contacte. Ils voudraient des renseignements sur le tourisme dans votre région. Voici leur fax.

Chers amis,

Nous avons besoin de votre aide pour notre classe de géo. Nous étudions le tourisme en Europe. Nous voulons un article en français:

1) Quelles sont les attractions touristiques de votre région?

2) Comment pourrait-on développer le tourisme dans votre région, à votre avis?

3) Voulez-vous plus de tourisme dans votre région? Pourquoi (pas)?

Merci de votre aide. À bientôt.

Répondez à leur fax, en français.

Écrivez 120 mots environ (environ 40 mots par thème).

Model answer

Le Yorkshire est une région très touristique. Elle se trouve dans le nord-est de l'Angleterre. Il y a des collines, des forêts et **de belles rivières.**[1] La côte aussi est très pittoresque. On peut y visiter des châteaux intéressants et des villes médiévales. Les touristes peuvent aussi se promener et faire de la pêche.[2]

Il y a toujours eu[3] des choses intéressantes pour les adultes. Mais **pour les jeunes, il n'y a rien à faire!**[4] Pour développer le tourisme dans la région, **on devrait créer des activités pour les jeunes:**[5] par exemple, on pourrait construire un Disneyland.

Le tourisme est déjà une des industries les plus importantes ici. Et cela crée beaucoup d'emplois. **Il serait donc bon d'avoir plus de tourisme et plus de touristes.**[6] Surtout des touristes jeunes!

1 The phrase ***de belles rivières*** will impress the examiner, especially if you remember to write ***de*** in front of the adjective.

2 This paragraph contains references to the present and a good range of adjectives: ***touristique***, ***belles***, ***pittoresque***, ***intéressants***, ***médiévales***.

3 A good reference to the past in the excellent phrase ***il y a toujours eu*** (there have always been).

4, 5 A good expression of opinion: ***on devrait créer des activités pour les jeunes*** (they should create activities for young people) which is justified by the earlier ***Pour les jeunes, il n'y a rien à faire!*** (There is nothing for young people to do!)

6 Expresses an opinion and refers to the future at the same time: an excellent sentence.

11 Home town, local environment and customs

Don't forget to spend some time preparing your plan before you write your answer. The paragraphs are planned for you, but you need to be sure:

- to refer to past, present and future;
- to express opinions;
- to use your key ideas and the language you are confident you can write correctly, e.g.
  riche en possibilités sportives ... surtout une région où ...
  en se promenant on peut ... admirer le paysage avec ...

Peu de Français viennent passer leurs vacances en Angleterre. Écrivez un article pour 'The British Tourist Board' pour encourager les Français à choisir l'Angleterre.

Choisissez une ville ou une région et dites où elle se trouve en Angleterre. Parlez:

- de ses possibilités sportives et de ses loisirs
- de ses possibilités culturelles
- de ses restaurants et cafés
- des moyens de transport dans la région.

Dites pourquoi les Français garderont un bon souvenir de l'Angleterre.

(Solution: page 125)

12 Getting around

- One very important thing to remember about your writing exam is that you have a lot of power! You can, very often, choose what to write about, which means what you feel confident about. So, if you have learnt how to describe a road accident, that's what you could write about here. Or you could have had an accident at school, while playing a game or while helping out at home.
- Don't forget to include references to the present and the future.
- Study the model letter and the notes on it. Then write your own letter. You could simply adapt the model by replacing all the words underlined, or you could be more ambitious.

Tu écris à ton/ta correspondant(e).

Voici le commencement de ta lettre.

> *Salut!*
>
> *Me voici à la maison – la jambe cassée! Je vais te raconter ce qui s'est passé.*
>
> *C'était samedi dernier ...*

Écris le reste de la lettre (environ 150 mots).

Explique:

comment tu t'es cassé la jambe

les conséquences

tes sentiments sur cette catastrophe.

Model answer

1. An excellent phrase which you can use every time you narrate something, meaning 'I'll tell you what happened'.
2. Good references to the past, starting with this useful phrase.
3. A good opinion with a justification using a reference to the present: *j'aime beaucoup ça*. An easy but effective way to score marks.
4. A useful word to use for earning marks.
5. Another useful expression.
6. Another good word to use whenever you can, meaning 'fortunately'. If you can't use that, you probably can write *malheureusement*.
7. The use of **où** to add on an extra phrase will earn excellent marks.
8. Very good reference to the future.
9. Another good reference to the future.
10. A very good phrase referring both to the past and the present.

Leicester, le onze septembre

Salut!

Me voici à la maison – **la jambe cassée. Je vais te raconter ce qui s'est passé.**[1]

C'était samedi dernier.[2] J'étais en ville avec des copains et on faisait du lèche-vitrines. **J'aime beaucoup ça**[3] et c'était super. **Soudain,**[4] un ami qui était de l'autre côté de la rue m'a appelé et j'ai traversé la rue sans regarder. **Et voilà,**[5] c'était l'accident!

Une voiture qui n'allait pas vite, **heureusement,**[6] m'a heurté. J'étais blessé(e) et j'avais très mal à la jambe. Quelqu'un a appelé une ambulance et j'étais bientôt à l'hôpital **où**[7] j'ai dû passer trois jours. Ce n'était pas trop grave, heureusement, mais c'est embêtant quand même. Ça m'empêche d'aller au collège à pied et **je ne jouerai pas**[8] au tennis pendant au moins deux mois.

Je suis furieux(se) de moi-même puisque tout cela, c'était de ma faute! Tu peux être sûr que **je n'oublierai jamais,**[9] à l'avenir, de regarder avant de traverser la rue! **J'ai compris qu'il faut toujours respecter**[10] le code de la route.

Avec toutes mes amitiés,

(Votre prénom)

D The world of work

13 Education and training

- You don't have much time for this question. To do it as quickly as possible:
  - Try not to use a dictionary.
  - Use what you can of Jean-Paul's letter in your reply.
- You will need to find a way to refer to the past. You can do this by using *par exemple*…
- Before writing your letter, study the model and the notes on it. Practise adapting the letter by changing the words which are underlined and any other words you would like to change.
- Then plan and write your own reply to Jean-Paul.

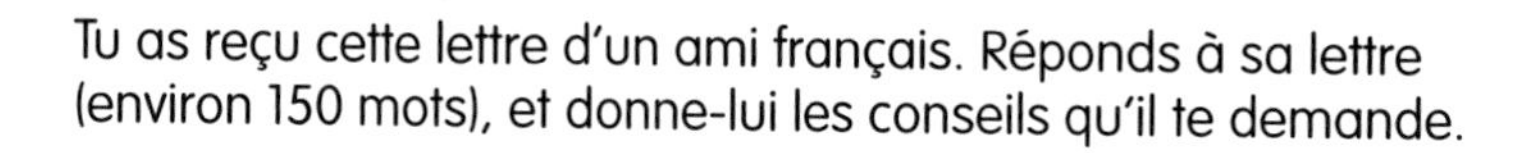
Tu as reçu cette lettre d'un ami français. Réponds à sa lettre (environ 150 mots), et donne-lui les conseils qu'il te demande.

Avignon, le 12 juin

Salut!

Merci pour ta gentille lettre. Je suis bien content d'avoir de tes nouvelles. Pour moi, ça ne va pas du tout.

Au collège, j'ai de très mauvaises notes en maths et dans toutes les sciences. En plus, je me suis disputé avec le prof de maths – il m'a accusé d'avoir copié un devoir sur mon copain – et ce n'est pas vrai!

À la maison, mes parents disent que je ne travaille pas assez dur. Donc, ils ne me permettent pas de sortir le soir pendant la semaine. J'en ai vraiment marre!

Qu'est-ce que je dois faire? Qu'est-ce que je dois dire à mes parents? J'aimerais quitter le collège et chercher un emploi. Qu'en penses-tu?

Écris-moi bientôt, j'ai besoin de ton opinion.

Amitiés,

Jean-Paul

Model answer

1 *Je crois que* is an excellent way to introduce a personal opinion. It will impress the examiners.

2 Equally good is ***Moi, je trouve que***.

3 This is a good way to refer to the past.

4 In a narrative, ***Je leur ai dit que*** (I told them that) is a very useful and impressive phrase.

5 A well explained opinion will gain high marks in any piece of writing.

6, 8 Some excellent references to the future.

7 The use of ***surtout*** (especially) to add on an extra phrase to the sentence, will receive good marks.

9 It is good to include a question. ***Et toi?*** is an easy and effective way of doing so, which you can often use when writing to a friend.

Douvres, le premier juillet

Cher Jean-Paul,

Merci pour ta lettre. J'espère que tout va mieux pour toi maintenant.

Je crois que [1] tous les jeunes se disputent avec leurs parents de temps en temps.

Moi, je trouve que [2] la meilleure solution, c'est de parler à mes parents et de leur expliquer tout. **La semaine dernière, par exemple,** [3] j'ai eu une mauvaise note en maths et mes parents étaient furieux. Mais **je leur ai dit que** [4] tout le monde dans ma classe a eu une mauvaise note parce que notre prof était absent. Après ça, mes parents n'ont rien dit.

Si j'étais toi, je n'aimerais pas [5] quitter le collège pour chercher un emploi. Avec tout le chômage qui existe, les jeunes qui n'ont pas de diplômes **ne trouveront pas** [6] facilement un emploi, **surtout** [7] un bon emploi. Moi, si j'ai de bons résultats aux examens, **j'irai** [8] au lycée préparer mon bac. Pour moi, la sécurité est très importante. **Et toi?** [9]

Amitiés,

(Votre prénom)

14 Careers and employment

- With a formal letter like this, don't forget to put your address, and the name and address of the person you are writing to, in the correct positions.
- You don't have much time for this, so keep it short and simple – but don't forget that you need to refer to past, present and future and also to express and justify a personal opinion.
- Study the model and the notes on it before you plan and write your own letter. Keep close to the model if you wish, and just change the words which are underlined – or you could be more ambitious.
- When you have learnt your own, corrected model letter, try adapting it to answer the follow-up question (Number 15). Don't look back at your model, but try to use as much of it as you can from memory.

Vous avez reçu une lettre de votre correspondant(e) français(e) qui va travailler dans un hôtel en France pendant les vacances d'été. Vous voulez travailler avec votre correspondant(e) à l'hôtel.

Voici une partie de sa lettre:

...je vais travailler à l'hôtel Beau-Site près d'Avranches, et j'ai déjà dit au propriétaire, M. Mielle, que tu seras en France et que tu lui écriras tout de suite pour lui expliquer que tu cherches un emploi chez lui aussi ...

Écrivez une lettre au propriétaire de l'hôtel avec les détails suivants:

- votre nom, votre âge et votre nationalité;
- dites que votre correspondant(e) va travailler à l'hôtel;
- le travail que vous voudriez faire à l'hôtel (par ex. dans la cuisine? à la réception?);
- les dates où vous pourrez travailler;
- posez une question sur le travail à l'hôtel (par ex. salaire? heures de travail?).

Écrivez 70 à 80 mots **en français**.

Adapted from MEG material

Model answer

1, 2, 3 An excellent opening paragraph, referring to present, past and future.

4 Two words which deal neatly with Task 2.

5 Simple language, referring to the present, but it fulfils the task perfectly well and will earn good marks.

6 Expresses a preference and gives a reason for it. Learn and use whenever you can the excellent phrase *Si c'était possible, j'aimerais ...*

7 Excellent reference to the future. Notice, and learn, the excellent: *Si vous pouviez m'offrir ... pourriez-vous ...?*.

(Votre adresse)
Belfast, le 24 mai

M. Mielle,
Hôtel Beau-Site

Monsieur,

Je crois[1] que ma correspondante, Nathalie Petit, vous **a déjà écrit**[2] pour vous dire que **je voudrais**[3] bien travailler dans votre hôtel cet été, **comme Nathalie.**[4]

Je me présente. **Je m'appelle Ann Smith, j'ai seize ans et je suis britannique.**[5] **Si c'était possible, j'aimerais**[6] travailler à la réception parce que j'ai déjà fait ce travail dans un hôtel ici. Mais je suis prête à faire n'importe quoi.

Je serai libre tout l'été, du premier juillet jusqu'à la fin du mois de septembre. **Si vous pouviez m'offrir un poste, pourriez-vous**[7] me donner des renseignements sur le salaire?

En attendant votre réponse, je vous prie d'agréer, Monsieur, l'expression de mes sentiments les meilleurs.

(Votre signature)

15 Careers and employment

The paragraphs are planned for you, but work out in advance:

- when to refer to past, present and future;
- when to express opinions;
- how to use the language you have learnt, e.g. *Je me présente ... Si c'était possible, j'aimerais ... prêt à faire n'importe quoi ... sportif ... depuis deux ans, j'aide ... j'organise ...*

Vous lisez cette annonce dans un magazine français sur le travail dans une 'Colonie de Vacances' en France:

Colonie de Vacances de Nantes

Étudiants français, anglais, allemands, américains ...
Voulez-vous travailler avec nous?
Vous aimez organiser des matchs de football, des promenades à vélo, etc. pour les enfants?
Si oui, écrivez tout de suite avec détails personnels, préférences, dates souhaitées, etc. à:

Mme. A. Delon, BP 650, 44000 NANTES.

Vous voudriez travailler à la Colonie de Vacances. Écrivez une lettre à Mme Delon avec les détails suivants:

- vos détails personnels (par ex. nom, âge, nationalité)
- le travail que vous voudriez faire à la colonie
- les dates où vous pourrez travailler
- pourquoi vous vous intéressez à ce travail
- posez une question sur les conditions (par ex. salaire? repas? logement?)

Écrivez 70 à 80 mots **en français**.

(Solution: page 125)

Adapted from MEG material

E The international world

16 Life in other countries and communities

- An advantage of questions like this is that they offer a choice: you can choose the four topics which you feel most confident about.
- You will find it easy, in this letter, to refer to the past and to express and explain your opinions, but don't forget that you need to refer also to the present and the future to get the highest marks.
- Make sure that you write about at least four of the topics suggested, as instructed. If you don't do this, you will lose a lot of marks.
- Begin by studying the model answer overleaf and the explanatory notes. To help you to learn it, practise adapting it by finding as many ways as you can of replacing the words which are underlined. Then write your own letter.
- Finally, use what you have learnt to answer the follow-up question (Number 17).

Vous avez passé des vacances en Europe. Dans une lettre à votre correspondant(e) français(e) décrivez ces vacances. Parlez-lui particulièrement de vos impressions, par exemple:

a) les gens

b) la cuisine

c) les différences avec la Grande-Bretagne

d) le style de vie

e) le paysage

f) les difficultés linguistiques

Il faut parler d'au moins 4 aspects différents. Écrivez 120 mots environ (environ 30 mots par thème).

Model answer

1 A good way to start, with a useful reference to the present.

2 Excellent references to the future and the past in this very useful phrase.

3 A good opinion, well justified.

4 An excellent reference to the future, beginning with *Quand*.

5 It is always a good idea, in a letter, to ask a question.

6 A good reference to the present, to what normally happens.

7,8 Another impressive opinion, with an excellent explanation.

9 *Tout ce que vous avez fait* (all that you did) is a high-scoring phrase which can often be used.

10 You can impress the examiner by using *si* (so) with an adjective rather than the boring *très*.

Glasgow, le trente mars

Cher ami,

Me voici de retour en Écosse.[1]

Je n'oublierai jamais ce que j'ai mangé[2] en France. **J'ai adoré les melons – si simples à préparer et si délicieux!**[3] J'ai aimé aussi tous les plats typiques. **Quand tu viendras**[4] ici, je vais te cuisiner des plats typiquement écossais. **Qu'est-ce que tu aimes manger?**[5]

Tu trouveras des différences intéressantes ici. **Par exemple, on ne met pas**[6] le pain sur la table ou la nappe, il y a une assiette spéciale pour ça.

Moi, **j'ai trouvé magnifique**[7] le paysage dans ta région. **La rivière et les châteaux sont très pittoresques.**[8] En Écosse c'est beau aussi, mais d'une façon différente.

Merci à toi, et à tes parents, pour **tout ce que vous avez fait**[9] pour perfectionner mon français. Au début, j'avais des problèmes, surtout à comprendre parce que je trouvais que vous parliez **si**[10] vite! Mais, à la fin, je comprenais presque tout.

Alors, merci encore, et à bientôt.

Amicalement,

(Votre prénom)

17 Life in other countries and communities

- You need to plan:
  - opinions;
  - references to past, present and future;
  - to use the language you know, e.g.
    je n'ai jamais été ... j'apprends ... depuis cinq ans ...
    je sais que ... un beau pays ... il me semble aussi que ...
    j'aimerais beaucoup visiter ... surtout la Tour Eiffel.

Vous lisez un magazine français et vous trouvez une compétition.

Voici une compétition pour nos lecteurs à l'étranger.

"La France et les Français – qu'est-ce qui surprend les visiteurs étrangers?"

Envoyez-nous votre réponse. Pour chaque article que nous publions, vous recevrez 500FF et une bouteille de champagne.

Alors, à votre avis, qu'est-ce qui surprendrait un visiteur en France?

Écrivez votre article. Mentionnez particulièrement:

a) vos impressions personnelles de la France, d'après vos cours de français à l'école;

b) vos impressions personnelles des Français;

c) les détails d'une visite personnelle que vous avez faite à l'étranger
OU
un pays étranger que vous désirez visiter et pourquoi.

Écrivez 120 mots environ (environ 40 mots par thème).

(Solution: page 125)

18 Tourism

- It's always best to try to use only words which you know. You can also use words from the questions.
- Try not to use a dictionary when writing your letter. It would take up precious time and could easily lead to using words incorrectly. The best time to use a dictionary is when you're planning or when you've finished your letter, to check the spelling of any words you're not sure of.
- In this letter, it will be easy to refer to the past, but don't forget the need to refer also to the present and the future. And remember to express, and justify, some personal opinions.
- Examiners are very interested in your holidays and often ask you to write about them! To be ready for this:
  1. Adapt the model letter to describe another holiday, real or imagined.
  2. Make a perfect copy of your letter, after your teacher has corrected it.
  3. Learn your letter by heart and be ready to write it in your exam.
- Finally, use what you have learnt to answer the follow-up question (Number 19).

Imagine que tu es allé(e) en vacances à Paris. Qu'est-ce qui s'est passé?

Écris une lettre en utilisant ces suggestions.

Tu es arrivé(e) au centre de Paris à midi.

i) Comment était le voyage?
ii) Quel temps faisait-il?

Ensuite, tu es allé(e) à une auberge de jeunesse.

iii) Comment était le dortoir?
iv) Qu'est-ce qu'il y avait à manger pour le déjeuner?

Pendant l'après-midi et le soir tu as fait une promenade avec tes copains.

v) Où es-tu allé(e)?
vi) Qu'est-ce qui t'a intéressé?
vii) Qu'est-ce que tu as acheté?

Tu as perdu ton chemin.

viii) Qu'est-ce que tu as fait?
ix) À quelle heure est-ce que tu es rentré(e) à l'auberge?
x) Qu'est-ce que tu as fait le lendemain?

Model answer

1 An excellent start: ***je viens de*** (I have just) will always earn a good mark.

2, 3 Good references to the past. You can use words from the question (e.g. ***arrivé***, ***faisait***) to score marks.

4, 5 Good marks for opinions.

6 Very good reference to the present.

7, 8, 9 Good marks for the past references, using words given in the question: ***allés***, ***intéressé***, ***acheté***.

10 ***En rentrant à*** (while returning to) is an expression which will impress the examiner. You can use it in many narratives.

11 Reference to the future. You can use the phrase ***je n'oublierai jamais*** to score a mark in almost any letter. Similarly, if you are finding it difficult to include a reference to the past, you can often use ***Je n'ai jamais oublié cela*** (I've never forgotten that).

Cardiff, le 7 août

Cher ami,

Surprise! **Je viens d'aller**[1] en vacances, à Paris.
C'était super!

Je suis arrivé[2] au centre de Paris après un voyage excellent dans le train Eurostar. **Il faisait**[3] un temps affreux, avec des vents très forts. Heureusement, nous n'avons pas pris le bateau!

J'étais avec des amis et nous sommes allés à une auberge de jeunesse. Nous étions dans un grand dortoir avec d'autres jeunes – des Français, des Australiens et des Italiens. **C'était sensass!**[4] Nous avons déjeuné tous ensemble et **nous avons bien mangé:**[5] du potage, un steak-frites et une glace au chocolat. C'était délicieux. **J'aime**[6] beaucoup la cuisine française.

L'après-midi, **nous sommes allés**[7] voir le monument le plus célèbre de Paris, la Tour Eiffel. **Ce qui m'a intéressé**[8] le plus, c'était la vue de Paris du deuxième étage. **J'ai acheté**[9] un modèle de la tour pour mes parents.

En rentrant à[10] l'auberge, nous nous sommes perdus en chemin. Nous avons demandé à un agent de police de nous aider. Il a été très gentil et nous sommes rentrés à l'auberge vers neuf heures et demie. Le lendemain, nous avons vu tous les autres monuments de Paris. Nous étions fatigués mais contents. **Je n'oublierai jamais**[11] ces vacances!

Amitiés,

(Votre prénom)

19 Tourism

- Use the headings in the question to help you plan your paragraphs. Remember:
  - opinions;
  - past, present, future;
  - to use the language you know you can write correctly, e.g. *pendant mon séjour ... j'aimerais beaucoup faire la connaissance ... dont tu m'as déjà parlé ... si c'était possible, je voudrais ...*

Vous écrivez une lettre à votre correspondant(e) français(e). Pendant vos prochaines vacances vous passez deux semaines en France avec votre correspondant(e). Mentionnez:

a) comment vous voyagerez;
b) quand vous arriverez;
c) les activités que vous voudriez faire.

Posez-lui des questions sur:

d) sa maison;
e) son école;
f) sa famille.

Écrivez 100-120 mots environ.

(Solution: page 125)

20 The wider world

- You'e already written one answer to this question (see page 97). Now answer it again and prove how easy it is to answer questions like this: you can just choose any topic which you are confident you can write about well and base the *événement exceptionnel* on that. Imagine now that there has been an accident in a nearby factory which has polluted the environment and base your letter on that.

- Be sure to create opportunities to refer to the present and the future, and to express and justify at least one opinion. That's how to ensure the best possible mark.

- First study the model answer and the notes on it. Then find as many ways as you can to replace the words which are underlined in the model and use this to help you to learn the key language. Finally, write your own answer, basing it on the model but changing it whenever you feel confident about an alternative.

La semaine dernière, à votre école, il y a eu un événement exceptionnel.

Écrivez une lettre à votre ami(e) français(e) pour lui raconter l'événement.

Expliquez ce qui s'est passé et parlez de vos réactions à l'événement.

COMMENCEZ VOTRE LETTRE APRÈS CETTE INTRODUCTION:

> le 25 juin
>
> Merci bien pour ta dernière lettre. Nous allons tous bien, merci. J'espère que tu vas bien, et ta famille aussi.

Adapted from MEG material

Model answer

Norwich, le 25 juin

Chère amie,

Merci bien pour ta dernière lettre. Nous allons tous bien, merci. J'espère que tu vas bien, et ta famille aussi.

La semaine dernière,[1] il y a eu un événement exceptionnel. Dans une usine **qui se trouve**[2] près de mon collège, **il y a eu**[3] un accident suivi par une explosion. Dans toute la banlieue, l'air **a été pollué.**[4] Au collège, **nous avons dû**[5] fermer toutes les fenêtres et rester à l'intérieur toute la journée.

Heureusement,[6] il n'y a pas eu de blessés graves, mais ça m'a fait peur. **Je dois dire que**[7] je trouve ça inadmissible. **Pourquoi y a-t-il des usines dangereuses**[8] dans les villes et près des collèges?

Je t'assure que, dans l'avenir, **je vais faire**[9] tout ce que je peux pour protéger l'environnement. À mon avis, tout le monde **devrait**[10] lutter contre la pollution de notre planète **car il faut protéger notre planète**[11]. Qu'en penses-tu? **Je n'oublierai**[12] jamais cet accident.

Avec toutes mes amitiés,

(Votre prénom)

1 *La semaine dernière* (last week) is a useful phrase and worth learning and using often.

2 The reference to the present and the word *qui* (which) makes this a very good sentence.

3, 4, 5 This paragraph is full of high scoring references to the past.

6 *Heureusement* (fortunately) is an excellent word. Use it whenever you can to start a sentence.

7 *Je dois dire que ...* (I must say that ...) is an impressive way to introduce an opinion.

8 Bonus marks for asking a question, always a good idea in a letter.

9, 10, 12 Essential references to the future.

11 An excellent opinion, well explained.

Solutions: Reading

Part 1

1 Only information in **French** scores marks:
8h30 français; *9h30 anglais*;
10h30 sciences; *11h30 maths*;
2h maths; *3h dessin*; *4h dessin* [7 marks]

2 1 = B; 2 = D; 3 = E [3 marks]

3 1 = 33; 2 = 42-45; 3 = 14;
4 = 16; 5 = 29 [5 marks]

4 2 = A; 3 = C [2 marks]

5 2 = E; 3 = G; 4 = B;
5 = D; 6 = A; 7 = H; 8 = F [7 marks]

6 B = 10; C = 2; D = 5; E = 3;
F = 4; G = 1; H = 6; I = 7 [8 marks]

7 D [1 mark]

8 1A: *Oui*; 1B: *Oui*; 1C: *Non*
2A: *Non*; 2B: *Oui*; 2C: *Oui*
3A: *Oui*; 3B: *Non*; 3C: *Non* [9 marks]

9 1 = C; 2 = A [2 marks]

10 *Viande* (*de la viande*) [1 mark]

11 *59 francs* [1 mark]

12 A [1 mark]

13 C [1 mark]

14 D [1 mark]

15 B = 1 or 2; C = 4 or 5;
D = 2 or 7; E = 1 or 6;
F = 4 or 10; G = 3; H = 5 or 9 [7 marks]

16 1 = 10 francs; 2 = 60 francs;
3 = 80 francs [3 marks]

17 2 = *Le 13*; 3 = *Le 18*;
4 = *Le 11*; 5 = *Le 00.33.12*;
6 = *Le 12*; 7 = *Le 17* [6 marks]

18 Only information in **French** scores marks:
A i) = *On ne sait pas*; ii) = *Faux*;
iii) = *On ne sait pas*;
iv) = *Vrai*; v) = *Faux*.
B i) = *deux semaines*; ii) = *mes parents*;
iii) = *l'école*; iv) = *je vais aller* [9 marks]

19 Only information in **French** scores marks:
1 = *janvier*; 2 = *10*;
3 = *le petit déjeuner*;
4 = *piscine*; 5 = *350 francs* [5 marks]

Part 2

1 Only information in **French** scores marks:
1 *Météo*
2 *Terre des bêtes*
3a *Actualités* 3b *Journal*
4 *Platine 45*
5 *Santé* [6 marks]

2 Only answers in **French** score marks:
1 = *non*; 2 = *peut-être*; 3 = *non*;
4 = *non*; 5 = *non*; 6 = *non*;
7 = *non*; 8 = *oui*. [8 marks]

3 A = 3; B = 4; C = 7;
D = 1; E = 6 [5 marks]

4 2 Ghislaine
3 Ghislaine
4 Chantal
5 Sabrina
6 Ghislaine
7 Chantal
8 Sabrina [7 marks]

5 1 Michaela – Christina
2 Myriam
3 Edwige
4 Benedetta
5 Sylvia
6 Maud
7 Eudes – Aristide
8 Pascal [8 marks]

6 Only answers in **French** score marks:
1 *roman*
2 *mine*
3 *de nos jours/d'aujourd'hui*
4 *d'aventure*
5 *chirurgien*
6 *s'échappe* [6 marks]

7 1 a *Oui*
b *Non*
c *Non*
2 a *Vrai*
b *Faux*
c *Faux* [6 marks]

8 B = 1,6,7; C = 5; D = 1
E = 3,6 [7 marks]

9 2 = E; 3 = G; 4 = A; 5 = B;
6 = F; 7 = H [6 marks]

10 Only information in **English** scores marks:
1 Anywhere in France
Anywhere abroad
2 Go by the operator
Dial 19.33 [4 marks]

11 Only answers in **French** score marks:
1 *Camping/Camping sauvage*
2 *Oui*
3 *Canoë – kayak*
4 *Auberge de jeunesse*
5 *Non*
6 *Vélo/V.T.T.*
7 *Gîte/Gîtes (ruraux)*
8 *Oui*
9 *Équitation/Cheval/Randonnée à cheval* [9 marks]

Part 3

1 Only information in **French** scores marks:
1 *en bus/en autobus* (*bus/autobus*)
2 *1 h/une heure/1 heure*
3 *le mercredi après-midi (l'après-midi/mercredi)*
4 *Ça lui fait du bien.*
C'est reposant.
Elle est détendue après le sport.
Elle adore ça.
The easiest way of gaining full marks for Number 4 is: *Elle adore le sport.*
[4 marks]

2 2 = H; 3 = J; 4 = D; 5 = A; 6 = B;
7 = G; 8 = C; 9 = I; 10 = E. [9 marks]

3 Only answers in **French** score marks:
triste
nouveau
autobiographique
excellent [4 marks]

4 1 = *Bistrot Laissac*
2 = *Courte Paille*
3 = *Le Bison* [3 marks]

5 Only answers in **French** score marks:
1 = *Faux*; 2 = *Vrai*;
3 = *Vrai*; 4 = *Faux* [4 marks]

6 Only information in **French** scores marks:
1 *Écolière*
Chanteuse
2 *Oui. Elle dit, "Mes parents sont là pour m'aider. Ils sont toujours à mes côtés, prêts à me réconforter ou à me stimuler."*
Or: *Oui. Ils sont toujours à ses côtés, prêts à la réconforter ou à la stimuler.*
3 *Oui, assez. Elle a parfois l'impression de mener une double vie. Il va falloir qu'elle travaille très sérieusement (à l'école).* [6 marks]

7 Only information in **French** scores marks:
1 *18 ans*
2 *entraînement*
3 *jeans*
baskets
4 *3 ans*
5 *méchante*
6 (Any 2)
elle est allée au club de plus en plus
elle est entrée dans une école de glace
elle ne voulait pas quitter la piste
7 *professionnelle maintenant* [9 marks]

8 Only information in **French** scores marks:
1 *La jeune fille qui a écrit cette lettre s'appelle Caroline.*
2 *Ses parents n'aiment pas qu'elle sorte avec un garçon/Nicolas.*
3 *D'après eux, Nicolas est responsable de tous ses problèmes.*
4 *Ses parents essaient de les séparer.*
5 *Elle doit tout simplement leur prouver qu'ils peuvent avoir confiance en elle.*
6 *Le magazine lui conseille de parler avec ses parents.* [6 marks]

9 Only information in **French** scores marks:
i) *Deux*
ii) *Les personnes à mobilité réduite*
iii) *Un distributeur de confiserie dans le hall du cinéma*
iv) *22h*
v) *Tous à toutes les séances*
vi) *Après*
vii) *Une programmation majoritairement européenne/Européenne* [10 marks]

10 Only information in **English** scores marks:
1. Every day from 10 a.m. to 7 p.m. (from 10h-19h)
2. 50 francs (50F)
3. No
4. It is cleaned/filtered.
5. You can buy sandwiches or you can bring your own food (both facts needed). [5 marks]

11 Only information in **French** scores marks:
1. *Nice est la plus grande ville de la Côte d'Azur.*
2. *Les touristes vont à Nice en hiver et en été.*
3. *On va à Nice à cause de son site et du beau climat/temps.*
4. *À deux heures en voiture de Nice, on peut faire du ski.*
5. *Une rivière divise Nice en deux.*
6. *Le château se trouve au-dessus de la vieille ville et du port.* [6 marks]

12 1 = A; 2 = C; 3 = D; 4 = B [4 marks]

13 Only information in **English** scores marks:
1. In the store/at the bureau de change/on the 4th floor
2. There are interpreters (available). Many sales staff speak foreign languages.
3. On the ground floor.
4. Cash (most currencies). Credit cards. [6 marks]

14 Only information in **English** scores marks:
1. You can write to them.
2. There is a time limit of 30 days.
3. Any 4 of the following, with 1 mark each:
   You need to describe it exactly.
   What it is made of.
   The colour.
   The size/dimensions.
   The contents.
   Any particular identifying features.
   Maker's name.
   Initials.
   Scratches or marks.
4. Any 2 of the following, with 1 mark each:
   When lost.
   Where lost.
   Send a seat reservation.
   Send a ticket. [8 marks]

15 2 = B; 3 = A; 4 = D [3 marks]

16 Only information in **English** scores marks:
1. Training (a course) for hotel receptionists.
2. The course.
3. Work experience. [4 marks]

17 2 = B; 3 = C; 4 = A; 5 = B; 6 = B [5 marks]

18
1. Jean-Jacques
2. Carole
3. Karine
4. Carole
5. Jean-Jacques
6. Jean-Jacques
7. Carole
8. Karine [8 marks]

19 Only information in **French** scores marks:
1. *2*
2. *9 heures*
3. *Le voyage a été long./Elle n'a pas aimé le voyage.*
   Il n'y a rien d'extraordinaire sur le bateau/Elle a vomi.
4. *Le car ne roulait pas vite.*
   On a perdu du temps. [6 marks]

20 Only information in **French** scores marks:
1. *22h*
2. *parents aubergistes*
3. *en tissu lavable*
4. *faire la cuisine, manger*
5. *fumer, boire de l'alcool, écouter la radio ou instruments de musique électroniques*
6. *jouer des instruments, jouer de la guitare/de la flûte/de l'harmonica.*
7. *objets de valeur*
8. *7h* [12 marks]

21
1a Serge
   Juliette
1b Bérangère
   Anne
1c Emmanuelle
1d Stéphanie
2 *Racisme, guerre, injustice vont disparaître.* [9 marks]

Solutions: Writing

Part 1

2

Je suis en vacances dans un gîte à 5 km. de Poitiers. Il y a 8 chambres, une grande cuisine, une salle de séjour, trois salles de bains et un garage. C'est fantastique!

J'ai visité les musées, j'ai joué au tennis et j'ai acheté des souvenirs. Demain, je vais au cinéma (à 1 km.).

4

une bouteille d'Orangina
dix tranches de rôti de porc
une livre de fraises
un paquet de chips

6

Nom et prénom: Taylor, Madeleine
Nationalité: britannique
Âge: 16 ans
Date de naissance: le 24 mai, 1982
Couleur de cheveux: noir
Couleur des yeux: bleu
Famille (frères et soeurs): Je suis enfant unique
Sport préféré: le judo
Autres intérêts: (i) la natation
(ii) J'aime lire
Matière favorite à l'école: les sciences

8

mardi: je voudrais jouer au tennis
mercredi: je voudrais aller danser
jeudi: je voudrais visiter Paris
vendredi: je voudrais faire les magasins
samedi: je voudrais voir un film

11

En avril, j'ai passé quatre jours chez ma correspondante. Je suis allé(e) à Paris en train: arrivée chez Suzy jeudi à 5 heures.

J'ai passé vendredi à la maison avec Suzy. Le soir, j'ai été au cinéma avec elle. C'était super! J'adore les films d'épouvante!

Samedi, j'ai fait du shopping en ville. J'ai acheté beaucoup de souvenirs. Le soir, j'ai visité une Maison des Jeunes avec Suzy. C'était très intéressant.

Dimanche matin, j'ai quitté Paris. J'espère revenir bientôt parce que j'ai beaucoup aimé mes quatre jours à Paris.

Part 2

2

Londres, le 11 avril

Salut,

Merci beaucoup pour ta lettre intéressante.

Mes matières préférées sont l'histoire (parce que c'est intéressant) et l'anglais (parce que c'est utile). J'ai toujours été fort(e) en anglais.

Je n'ai jamais aimé les maths. À mon avis, c'est difficile. Et je n'aime pas la géographie. Je n'ai jamais été fort(e) en géographie et la géographie n'est pas utile.

Quand je quitterai l'école, je voudrais aller à l'université. J'espère être journaliste.

Amicalement,
(Votre prénom)

7

Birmingham, le 14 janvier

Le Syndicat d'Initiative de Blois
Madame, Monsieur,

Suite à votre annonce, j'ai l'honneur de poser ma candidature pour le poste d'employé(e) temporaire dans votre syndicat d'initiative.

J'ai 16 ans (date de naissance le 11 novembre, 1983). J'habite avec mes parents qui pourraient m'accompagner à Blois.

Cet emploi m'intéresse parce que je voudrais perfectionner mon français et j'aime travailler avec les gens. J'ai déjà fait un stage en entreprise dans une agence de voyages en Angleterre et ce travail m'a beaucoup plu. Mes employeurs étaient très contents de moi. Je serai libre pour tout l'été, à partir du premier juillet jusqu'à la fin août.

Pourriez-vous m'envoyer des renseignements sur les heures de travail et le salaire que vous proposez? Pourriez-vous aussi me dire si vous offrez des repas?

En attendant votre réponse, je vous prie d'agréer, Madame, Monsieur, l'expression de mes sentiments les meilleurs.

(Votre signature)

8

Newcastle, le 21 mars

Madame, Monsieur,

Je voudrais réserver une chambre pour une personne, avec salle de bains ou douche, dans votre hôtel, du 13 au 16 avril.

Pourriez-vous confirmer cette réservation et me dire si le petit déjeuner est servi dans l'hôtel? Pourriez-vous aussi m'envoyer le prix de la chambre et du petit déjeuner?

En vous remerciant d'avance, je vous prie d'agréer, Madame, Monsieur, l'expression de mes sentiments les meilleurs.

(Votre signature)

Part 3

2

Burnley, le 3 octobre

Chers amis,

Merci pour votre fax. Vous voulez savoir comment c'est, le système scolaire anglais.

Notre école a beaucoup de règlements! Si j'en écrivais une liste complète, elle serait très longue! En général, les règlements sont intelligents et les élèves les acceptent volontiers. Mais il y en a un que je trouve complètement stupide, c'est l'uniforme obligatoire. Presque tous mes copains sont d'accord avec moi.

La plupart des professeurs à notre école sont gentils et je m'entends bien avec eux. Il y a une cinquantaine de professeurs et il y a, bien sûr, quelques-uns que je n'aime pas. Comme, par exemple, le prof de maths qui, la semaine dernière, a puni toute la classe parce que quelqu'un est arrivé en retard.

À mon avis, pour améliorer notre école, on devrait:

– abolir l'uniforme obligatoire;

– finir les cours à trois heures de l'après-midi, surtout en hiver;

– créer des clubs (un club de tennis, par exemple);

– organiser des échanges réguliers avec la France et, en particulier, avec votre lycée.

Amicalement,

[Votre prénom et nom]

4

Southampton, le 16 novembre

Chère amie,

Merci bien pour ta dernière lettre.

Je viens de passer une semaine absolument incroyable! Pendant la nuit de mercredi dernier, des voleurs sont entrés dans notre école. Ils ont cassé une fenêtre pour entrer. Les voleurs ont pris tous les ordinateurs, les magnétophones, les télévisions et même un four qu'ils ont trouvé dans la cuisine. Et ce qu'ils n'ont pas volé, ils l'ont cassé avant de quitter l'école. Quand je suis arrivé à l'école, jeudi matin, c'était affreux!

Bien sûr, les agents de police sont venus et ils ont posé des questions à tout le monde. Mais on n'a toujours pas trouvé les voleurs, malheureusement. C'est tellement dommage!

Il y a eu des articles dans le journal local et on a même parlé de notre école à la télévision. Mais cela ne change rien. Alors, le week-end prochain, les élèves et les parents vont organiser une fête pour gagner de l'argent. Comme ça, si tout va bien, nous allons remplacer tout ce qui a été volé. Je n'oublierai jamais cette semaine!

Avec toutes mes amitiés,

(Votre prénom)

6

Quels sont vos passe-temps?

J'aime beaucoup faire du sport. Par exemple, le week-end dernier, j'ai joué au tennis et j'ai été à la piscine. Ça me fait du bien! Le week-end prochain, je vais aller au cinéma parce qu'il y a un film français en version originale. J'espère que ça me fera du bien!

Combien de temps consacrez-vous à vos loisirs et quand?

Ça dépend. En général, je consacre une à deux heures par jour à mes loisirs, plus le samedi et le dimanche. Mais, en ce moment, je révise pour mes examens. C'est dur, mais c'est nécessaire! Après les examens, je vais faire une heure de sport par jour.

Qu'est-ce que vous faites pour garder la forme?

D'abord, je mange et je bois sainement.

Je n'ai jamais fumé et je ne vais jamais fumer. Je trouve que les gens qui fument sont fous. Puis je fais beaucoup de sport: du tennis et de la natation, par exemple. Grâce au sport, je suis toujours en bonne forme.

8

Vous avez un petit job?
Oui ⇒ *S'il vous plaît, donnez des détails: (quel emploi? jours? salaire?)*
Non ⇒ *S'il vous plaît, donnez des détails: (pourquoi pas? argent de poche? combien?)*
J'aimerais beaucoup travailler – dans un café ou un supermarché, par exemple, mais c'est difficile. Il n'y a pas beaucoup de petits jobs ici en ce moment. Mes parents me donnent quatre livres sterling par semaine, mais ce n'est pas assez. C'est dommage!
Que faites-vous de votre argent?
⇒ *Vos achats réguliers*
J'achète normalement des revues, des cassettes et des bonbons. Le week-end dernier j'ai acheté un T-shirt sensass! Le week-end prochain, j'espère acheter un pantalon pour l'été.
⇒ *Vous faites des économies? (pourquoi? pourquoi pas?)*
Je voudrais bien faire des économies, mais ce n'est pas possible, car je n'ai pas assez d'argent. Si je trouve un petit job, je ferai des économies car j'espère venir bientôt en France.

11

La région des lacs est une des plus belles régions d'Angleterre. Elle se trouve dans le nord-ouest du pays.

C'est une région riche en possibilités sportives (natation, golf, pêche, etc.) mais c'est surtout une région où on fait des promenades à pied ou en vélo. Tout en se promenant on peut, comme le poète Wordsworth qui habitait et écrivait ici, admirer le paysage avec ses montagnes, ses lacs et ses fleurs.

C'est aussi une région pleine de possibilités culturelles. Il y a des cinémas, des théâtres et des musées comme la célèbre maison de Wordsworth. Vous n'oublierez jamais votre séjour ici.

On trouve partout d'excellents cafés et restaurants, allant du plus simple au plus sophistiqué, sans parler des célèbres pubs anglais.

Pour y arriver, vous pourrez prendre le train, l'avion, le car ou la voiture. Mais une fois arrivé, et pour voir la région comme il le faut, la meilleure chose c'est d'acheter des bottes ou de louer un vélo. Bonnes promenades! En rentrant en France, vous garderez d'excellents souvenirs des beaux paysages et des gens gentils de cette région.

15

Swansea, le 2 juin

Mme. A. Delon,
BP 650,
44000 – Nantes,
France

Madame,

J'ai l'honneur de poser ma candidature pour un poste dans la Colonie de Vacances de Nantes.

Je me présente. Je m'appelle Tony Jones, j'ai seize ans et je suis britannique. Si c'était possible, j'aimerais travailler avec les enfants. Je suis prêt à faire n'importe quoi, mais je suis très sportif et j'aime beaucoup le football et les promenades à vélo. Depuis deux ans, j'aide dans un club de jeunes ici, et j'organise des jeux et des promenades.

Je serai libre tout l'été, du premier juillet jusqu'à la fin du mois de septembre. Et j'aimerais beaucoup avoir l'occasion de travailler dans une colonie de vacances en France et de perfectionner mon français.

Si vous pouviez m'offrir un poste, pourriez-vous me donner des renseignements sur le logement et les repas que vous pourriez m'offrir?

En vous remerciant d'avance, je vous prie d'agréer, Madame, l'expression de mes sentiments les meilleurs.

(Votre signature)

17

Je n'ai jamais été en France mais j'apprends le français depuis cinq ans et j'ai appris beaucoup pendant mes cours de français.

Je sais que la France est un beau pays, avec des rivières, des châteaux et des montagnes magnifiques. Il me semble aussi qu'il y a de très belles villes en France, comme Paris. J'aimerais beaucoup visiter Paris et voir tous ses monuments célèbres, surtout la Tour Eiffel.

D'après ce que j'ai lu et vu à la télévision, il paraît que les Français aiment beaucoup manger et boire. J'ai l'impression aussi, d'après les statistiques sur les accidents routiers, qu'ils conduisent assez mal! Je crois aussi qu'ils aiment les animaux. J'ai rencontré quelques Français et je les trouve intelligents, sympas et amusants.

Je voudrais beaucoup aller en France un jour pour perfectionner mon français et aussi pour mieux connaître le pays et les gens. Si j'ai de bons résultats aux examens, je vais continuer à étudier le français car j'espère être professeur de français. Alors, pour moi, une visite en France est nécessaire!

19

Exeter, le cinq avril

Chère amie,

Merci beaucoup pour ta lettre intéressante. Tu veux savoir tous les détails sur mes prochaines vacances. Les voici.

Pour venir en France, je prendrai l'avion de Londres à Paris. Je n'ai jamais voyagé en avion et ça me fait un peu peur! J'espère arriver à Paris le mercredi 20 juillet, à 14 heures 30.

Pendant mon séjour en France, j'aimerais beaucoup faire la connaissance de ta famille et de tes amis. Et j'aimerais aussi visiter tous les monuments dont tu m'as déjà parlé: la Tour Eiffel, Notre-Dame, etc. Si c'était possible, je voudrais aussi jouer au tennis car je sais que tu aimes le tennis et moi aussi.

Tu ne m'as jamais parlé de ta maison. Tu pourrais m'en parler un peu? Elle est grande ou petite? Vous avez un jardin? Et ton école, comment est-elle? Est-ce qu'il y a beaucoup de règlements et est-ce que les profs sont gentils? Et comment va ton frère après son accident? Beaucoup mieux, j'espère. Excuse-moi, je te pose trop de questions!

Affectueusement,

Anne